D0427367

LAS VEGAS - CLARK COUNTY
LIBRARY DISTRICT
833 LAS VEGAS BLVD, N.
LAS VEGAS, NEVADA 89101

DISCARDED

El libro de las chicas.
Cómo ser la mejor en todo

Escrito por Juliana Foster
Ilustrado por Amanda Enright

Nuestro agradecimiento a
Ellen Bailey, Liz Scoggins,
Jo Rooke y Chris Maynard.

El libro de las chicas

Cómo ser la mejor en todo

ANAYA

NOTA A LAS LECTORAS

Para ser la mejor, es necesario que actúes en todo momento con sentido común. Lleva siempre lo necesario para tu seguridad. Pide permiso a un adulto antes de utilizar cualquier herramienta o utensilio. Respeta la ley y las reglas locales y sé considerada con los demás. Y recuerda que el objetivo de este libro es que te diviertas con tus amigas. ¡Adelante!

Título original: *The Girls' Book. How to be the Best at Everything*

1.ª edición: octubre 2009

© Del texto e ilustraciones: Buster Books, 2007
© De la traducción: Borja García Bercero, 2009
© De esta edición: Grupo Anaya, S. A., Madrid, 2009
Juan Ignacio Luca de Tena, 15. 28027 Madrid
www.anayainfantilyjuvenil.com
e-mail: anayainfantilyjuvenil@anaya.es

ISBN: 978-84-667-8508-2
Depósito legal: BI-2447-09
Impreso en Grafo, S. A.
Avda. Cervantes, 51
48970 Basauri (Vizcaya)
Impreso en España - Printed in Spain

Las normas ortográficas seguidas en este libro
son las establecidas por la Real Academia Española
en su última edición de la *Ortografía,* del año 1999.

Reservados todos los derechos. El contenido de esta obra está protegido por la Ley, que establece penas de prisión y/o multas, además de las correspondientes indemnizaciones por daños y perjuicios, para quienes reprodujeren, plagiaren, distribuyeren o comunicaren públicamente, en todo o en parte, una obra literaria, artística o científica, o su transformación, interpretación o ejecución artística fijada en cualquier tipo de soporte o comunicada a través de cualquier medio, sin la preceptiva autorización.

Contenido

Cómo explicar por qué llegas tarde al colegio

Nunca está de más tener varias excusas preparadas por si algún día llegas tarde al colegio (no por culpa tuya, claro). Estas son algunas de las más ingeniosas:

- «Hasta que no entré en el colegio no me di cuenta de que seguía con el pijama puesto y tuve que volver a casa para cambiarme».
- «Cuando llegué, la profesora no estaba en la clase, así que salí a buscarla».
- «Me secuestraron unos extraterrestres con fines experimentales. Estuve fuera cincuenta años, pero, afortunadamente, en la Tierra el tiempo de mi ausencia transcurrió en apenas una hora».
- «Inventé una máquina del tiempo que me adelantó los resultados de mi examen. Descubrí que iba a sacar un sobresaliente, así que decidí que en adelante me tomaría las cosas con más calma».
- «Estuve buscando a la ovejita Lucera, que se había perdido».
- «Apreté con demasiada fuerza el tubo de la pasta de dientes y me pasé toda la mañana metiéndola de nuevo en el tubo».
- «Mis padres perdieron la llave de mi jaula».
- «Lo siento, pero no puedo decirle por qué llego tarde. El Gobierno me hizo jurar que guardaría el secreto».
- «Yo no llego tarde. Los demás llegaron antes de tiempo».
- «Soñé que era la primera de la clase, así que ni me molesté en levantarme».

Cómo salir perfecta en las fotos

¿Tienes alguna foto tuya que ni muerta dejarías que la viera alguien? Sigue estos sencillos consejos y saldrás fabulosa en todas.

- Que no se note que estás posando. Cuanto más natural parezca tu postura, mejor saldrás en la foto.
- Ponte derecha y levanta la cabeza. Gira levemente el cuerpo hacia un lado, poniendo una pierna delante de la otra, como en el dibujo. De esta forma tu cara y tu cuerpo se verán de medio perfil y te sentirás más favorecida.

- Sonríe. Nadie sale bien con cara de mal humor. Seguro que algún fotógrafo te ha sugerido que digas «Patata» para sacarte sonriente, pero el gesto más que una sonrisa parecería una mueca. Para salir con una sonrisa natural y fácil de mantener, presiona con la lengua la parte de atrás de tus dientes superiores.

- Abre sin miedo los ojos (no demasiado o parecerá que estás asustada o mal de la azotea). Para evitar que salgan rojos, no mires directamente al objetivo. Dirige la mirada a un punto situado un poco por encima de la cámara.
- Relájate todo lo que puedas. Antes de que te hagan la foto, respira hondo y ve soltando el aire lentamente.

Cómo crear una «cápsula del tiempo»

¿Te gustaría que las futuras generaciones supieran de ti y del mundo en que vives? Busca un recipiente que se pueda cerrar herméticamente para proteger su contenido. El ideal es un recipiente de plástico. Escribe sobre él: «No abrir hasta el año 2020», o hasta la fecha que quieras. Aquí tienes unas cuantas ideas sobre lo que puedes guardar dentro:

- Una carta o una grabación para la persona que encuentre la caja. Escribe la fecha en la carta o regístrala en la grabación y cuenta cosas de ti y de tu vida. También podrías describir cómo te imaginas el futuro.
- Fotos de tu familia y tu árbol genealógico (véanse las páginas 58 y 59).
- Un ejemplar del último número de tu revista favorita.
- Un CD con las canciones que más te gustan.
- Una moneda reluciente recientemente acuñada.
- No metas ningún objeto de valor ni nada que sea comestible.
- Cuando el recipiente esté lleno, entiérralo o guárdalo en el desván.

Cómo ser la mejor anfitriona en una fiesta de pijamas

Sigue estas instrucciones y serás conocida en toda la ciudad como la reina del edredón y la anfitriona más guay.

- No invites a más de cuatro amigas, así te asegurarás que puedes atenderlas a la perfección. Envía las invitaciones con suficiente antelación para que todas estén libres esa noche. Pídeles que te confirmen su asistencia.
- Es una buena idea elegir un tema para la fiesta y que cada una aporte algo que contribuya a crear ambiente. Por ejemplo, si se te ha ocurrido que sea una fiesta dedicada al estilismo, alguien podría llevar un alisador de pelo; otra de tus amigas, el maquillaje... Organiza actividades y decora tu cuarto de acuerdo con el tema propuesto.
- Piensa en algunos juegos divertidos, y antes de que lleguen tus invitadas, reúne las cosas que necesites para jugar. Dile a tus amigas que se traigan sus *cedés,* películas o juegos de mesa favoritos.
- Sé buena anfitriona: comprueba que todas tienen lo necesario e indícales dónde se encuentra el cuarto de baño. Comprueba que todas tengan un sitio cómodo donde pasar la noche (si es preciso, pídeles que lleven un saco de dormir).
- Ten suficiente comida, y prepara alguna exquisitez para la fiesta y para el desayuno.
- Cuida de que todo el mundo cumpla la primera regla de una fiesta de pijamas: los secretos que se cuentan junto a la almohada, se quedan en la almohada.

Cómo enseñar a tu perro a que te choque la mano

Es verdad que cualquiera puede enseñar a un perro a sentarse o a acudir a una llamada, pero si consigues *que te choque la mano* demostrarás al mundo que tú y tu perro sois colegas de pedigrí.

Puedes empezar a entrenarlo cuando tenga unos tres meses. Eso sí, actúa con sensatez y ten paciencia. Muéstrate siempre firme y constante, pero jamás le grites ni le pegues.

1. Haz que se siente delante de ti. Dile algo bonito cuando te obedezca y prémialo con algo rico.
2. Levántale con suavidad una de sus patas y mantenla en tu mano sin apretarla, diciendo al mismo tiempo: «¡Choca!».
3. Prémialo otra vez con algo rico y repite este ejercicio varias veces.
4. Después, tiéndele la mano y ordénale: «¡Choca!». Dale la ocasión de que pose su pata en la palma de tu mano. Si no lo hace a los dos o tres segundos, cógele la pata y di otra vez: «¡Choca!».
5. Persevera. Lo acabarás consiguiendo.

Cómo hacer sombras chinescas

Deja atónitas a tus amigas y a tu familia creando con tus propias manos estas increíbles figurillas.

Para conseguir un buen resultado, realiza la función en una habitación oscura. Sitúate detrás de una cortina de papel o un lienzo blanco. Coloca y mueve tus manos delante de una lámpara que proyecte mucha luz. Si necesitas ayuda, pide la colaboración de alguno de tus espectadores.

Toro

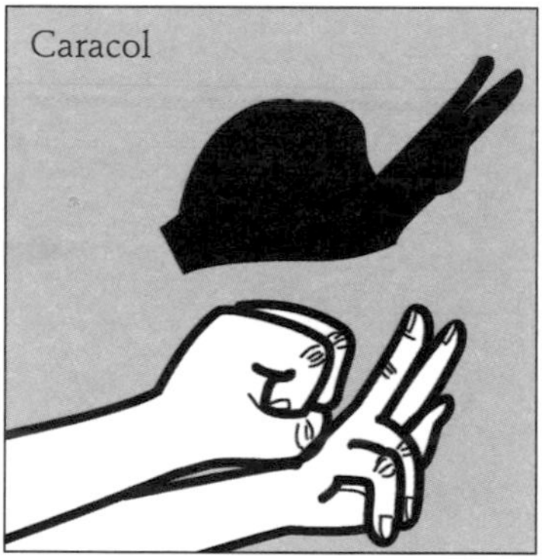
Caracol

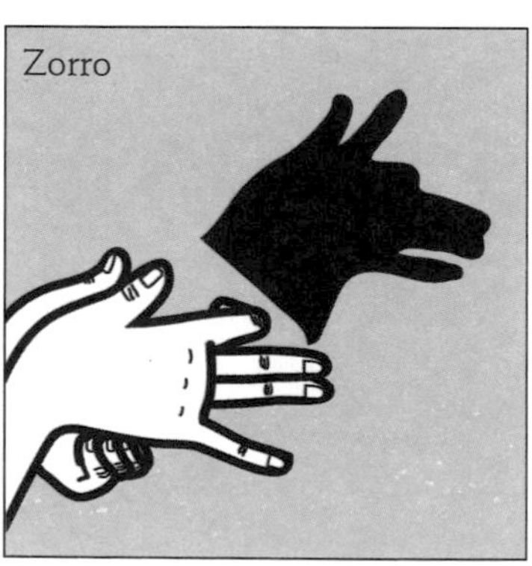
Zorro

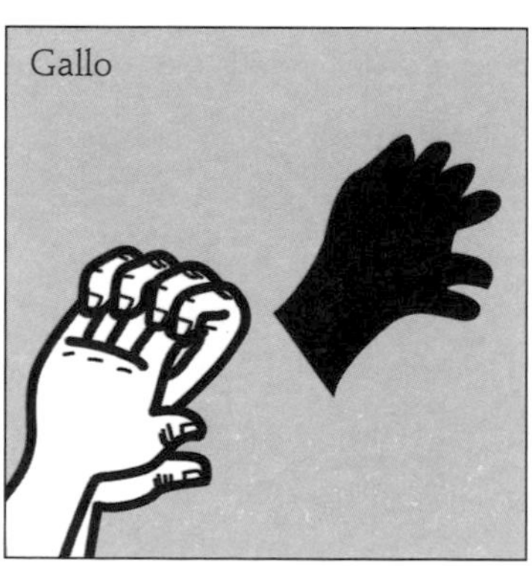
Gallo

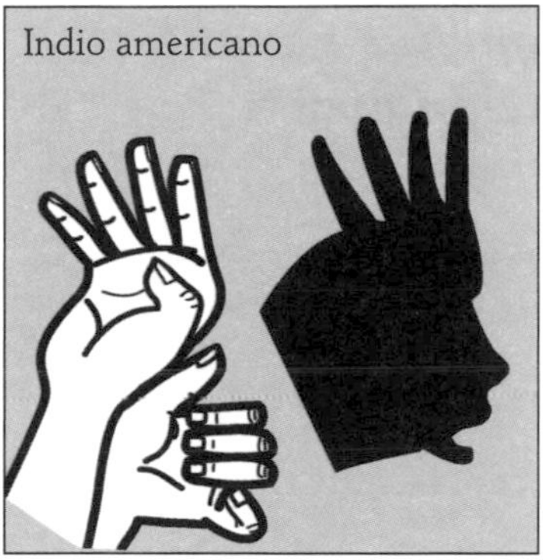
Indio americano

Elefante

Gato

Araña

Cisne

Cómo asegurarte de que tus zapatillas de deporte huelan bien

Aquí tienes algunas ideas para evitar que tus amigas armen un escándalo cada vez que te las quites. Estos trucos garantizarán que tus deportivas huelan a gloria.

- Introduce en ellas varias bolsitas de té sin usar y déjalas dentro un par de días.
- Espolvorea en el interior polvos de talco.
- Echa en cada una un par de gotas de esencia de rosas o de menta o de té de Ceilán.
- Llena un par de calcetines con arena para gatos (es preferible que no haya sido usada todavía por el animalito) y déjalos toda la noche dentro de las deportivas.
- Aplica una capa fina de suavizante para ropa debajo de las plantillas.

Cómo salvar el planeta

Si quieres proteger nuestro planeta y frenar, en la medida de lo posible, el deterioro causado por la contaminación, los gases de efecto invernadero y el calentamiento global, sigue estas sencillas pero eficaces indicaciones:

- Asegúrate de que todas las lámparas de tu casa usan bombillas de bajo consumo. Apaga las luces cuando no sean necesarias.
- Apaga la televisión, el DVD, la consola de los videojuegos y la radio cuando no los estés usando. Si la luz roja de *standby* está encendida, el aparato sigue consumiendo electricidad.
- Recicla el papel, el vidrio, el plástico, la ropa vieja..., y comprueba que tu familia y amigos también lo hacen.
- No tires los juguetes, los libros o los *cedés* que ya no quieras. Llévalos a alguna organización benéfica.
- Reutiliza las cosas siempre que puedas. Por ejemplo, usa las bolsas de plástico que tengas en casa cuando vayas al supermercado; o si invitas a tus amigas a una barbacoa, utiliza velas para iluminar el jardín, crearán un ambiente agradable.
- Ahorra agua. No dejes el grifo abierto mientras te cepillas los dientes. Para enjuagarte utiliza un vaso. Tampoco dejes correr el agua cuando laves los platos. Acláralos en una palangana. Sugiere a tus padres que compren un barril y lo pongan en el jardín para que recoja el agua de lluvia y regar las plantas con ella en vez de utilizar la manguera.
- Si tienes frío, abrígate. No enciendas la calefacción.

Cómo hacer una cometa

Volar cometas es la actividad perfecta para un día de viento.

MODO DE HACERLO:

1. Puedes hacer el cuerpo de la cometa con dos páginas dobles de un periódico de tamaño normal. Une con cinta adhesiva el margen inferior de una de las páginas dobles con el margen superior de la otra para formar un rectángulo más grande.
2. Para dar forma a tu cometa, mide con una regla 18 cm desde cada una de las cuatro esquinas y marca las distancias correctas. Une las marcas con un lápiz, como en el dibujo, y recorta por las líneas que has trazado.

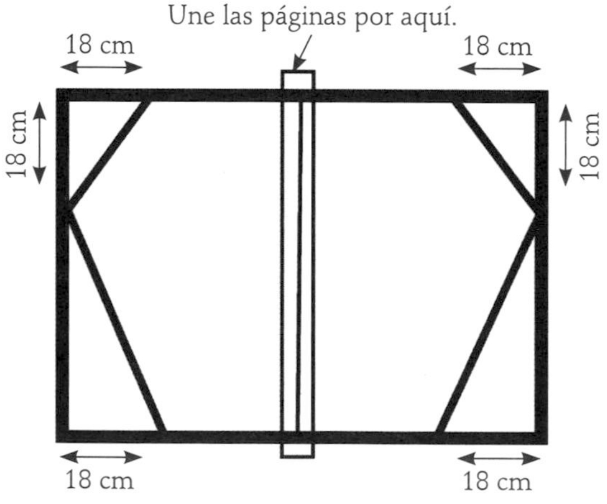

3. Fíjate en el dibujo y refuerza la estructura de la cometa cubriendo con cinta adhesiva los bordes y las distancias que hay entre los ángulos, una horizontal y dos verticales.

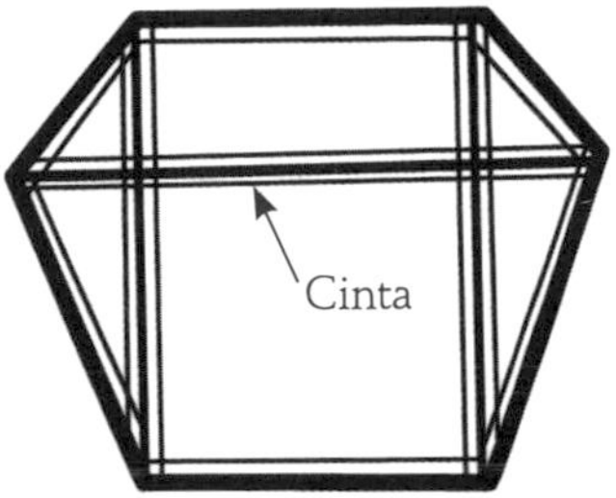

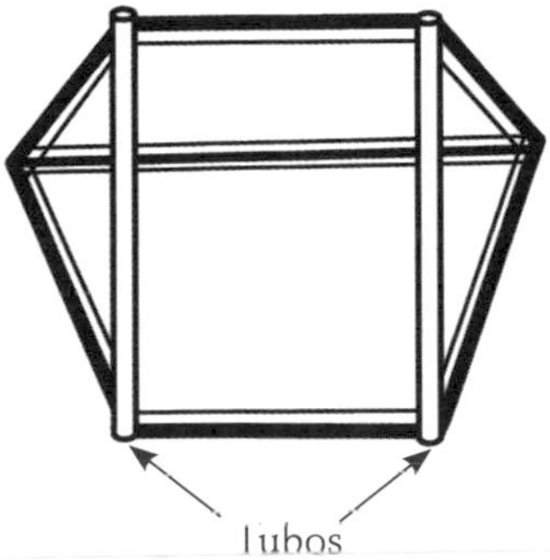

4. Coge otras dos páginas dobles y enrróllalas para obtener dos tubos bien apretados. Empieza por uno de los picos de la página y enróllalo diagonalmente hasta llegar al otro pico. Pega los tubos a la cometa tal como muestra el dibujo.

5. Coge un metro y medio de cuerda y pega con cinta adhesiva sus extremos a los ángulos de la horizontal. Ata otra cuerda mucho más larga, de 20 m, al centro de la primera. Con esta última podrás guiar tu cometa.

6. Haz lo mismo con otra cuerda de metro y medio en los ángulos inferiores de la cometa. La cola se une a esta. Puedes hacerla con papel o cintas de colores.

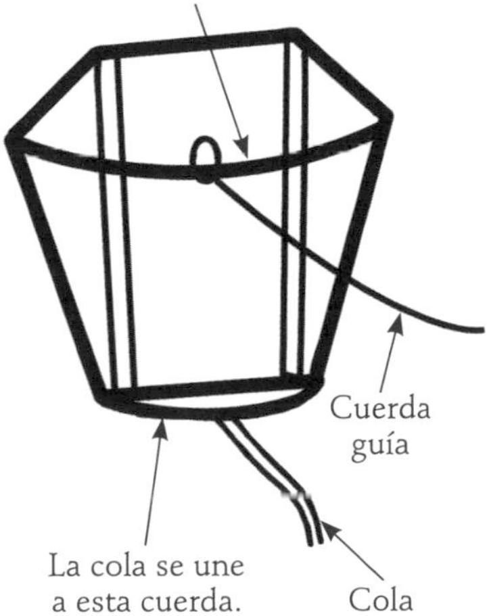

Cómo escribir un haiku y ganar el primer premio

El haiku es un poema de origen japonés. *Haikai no ku* significa «verso ligero».

Los haikus siempre tienen tres versos. El primero es de cinco *sílabas*. Las palabras se descomponen en uno o más *bloques de sonido* que llamamos *sílabas*. Por ejemplo, la palabra *pan* tiene una sílaba, y la palabra *co-co-dri-lo* tiene cuatro. El primer verso de un haiku suele introducir el sujeto del poema (el tema del que trata el haiku). El segundo tiene siete sílabas y a menudo describe lo que hace el sujeto. El último verso tiene cinco sílabas y aporta la conclusión.

Aquí tienes dos ejemplos:

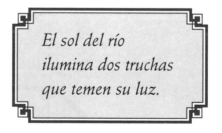

El sol del río
ilumina dos truchas
que temen su luz.

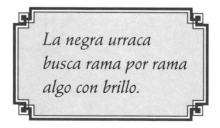

La negra urraca
busca rama por rama
algo con brillo.

Cómo convertir una camiseta vieja en una nueva

Antes de tirar esa camiseta tan aburrida que ya no te pones, prueba a transformarla y a darle un toque de originalidad.

Modo de hacerlo:

- Con el cartón de un paquete de cereales crea tus plantillas para pintar lo que quieras sobre la camiseta. Utiliza pinturas para tejidos. Espera a que la pintura se seque del todo antes de retirar las plantillas.
- Decora la camiseta con botones de distintos tamaños, formas y colores. Empieza por colocar los botones. Cámbialos tantas veces como quieras hasta que encuentres la disposición que más te guste. Una banda ancha de botones alrededor del cuello puede quedar muy bien. Cuando hayas decidido el diseño, cóselos a la camiseta o pégalos con pegamento para tejidos.
- Emplea retales para formar con ellos un dibujo en la parte delantera o trasera de la camiseta y pégalos con el mismo pegamento de antes. Un poco de pintura para tejidos en los bordes de los retales ayudará a fijarlos mejor a la tela.
- Tiñe la camiseta de tu color favorito. El proceso es algo sucio, así que, si puedes, hazlo al aire libre. Ponte unos guantes de goma y ropa vieja, por si te salpica el tinte (no hace falta decir que las manchas de tinte son dificilísimas de quitar). Para conseguir el mejor resultado, elige una camiseta que sea de algodón 100%. Mezcla en un cubo un paquete de tinte en polvo con un poco más de medio litro de agua caliente. Añade cinco cucharadas soperas de

sal. Espera a que la mezcla se enfríe hasta que quede a temperatura ambiente. Ata con fuerza una cuerda larga al bajo de la camiseta y ve enrollándola hasta llegar al escote. A continuación, hazle un nudo a la cuerda para que no se suelte. Deja la camiseta en el agua con el tinte durante 20 minutos y espera a que se seque completamente antes de desatar la cuerda. Finalmente, aclárala bien.

- Si lo has intentado todo y tu camiseta parece no tener remedio, utilízala para limpiar los coches de tus vecinos, y con lo que ganes, cómprate otra.

Cómo evitar que te molesten en el colegio

¿Alguna vez has sido víctima de acoso escolar? Si es así, seguro que no ha sido culpa tuya. Quien realmente tiene un problema es la persona que te ha acosado. Es crucial pasar a la acción.

- Habla con tu profesor, con tu padre o con tu madre, es decir, con un adulto en quien confíes, y cuéntale exactamente lo que está pasando. Ellos no tendrán necesariamente que involucrarse, ni siquiera tendrán que hablar con la persona que te esté acosando. El simple hecho de compartir el problema hará que te sientas mejor; y ellos te apoyarán, te aconsejarán y te ayudarán a que te defiendas por ti misma. La mayoría de los centros educativos cuentan con normas estrictas contra el acoso escolar y tus profesores tendrán experiencia en resolver este tipo de situaciones.
- Esfuérzate por dar la impresión de que estás absolutamente segura de ti misma. Los acosadores suelen ser

unos cobardes que eligen a sus víctimas entre los que creen más débiles. Camina muy derecha y con la cabeza erguida. Ante tus compañeros, exprésate con claridad y seguridad, mirándoles directamente a los ojos.

- Siempre que sea posible, procura no hacer ningún caso a quienes pretendan intimidarte o asustarte. Déjales bien claro que sabes mostrar indiferencia ante los comentarios impertinentes. Se cansarán en seguida y te dejarán en paz.
- Anticípate y reflexiona sobre el modo de hacer frente a cualquier situación difícil. Piensa muy bien qué puedes decir a la persona que te esté molestando. Llorar o gritar suele empeorar las cosas. En cambio, un comentario inteligente y natural, que no sea grosero ni sarcástico, demostrará que dominas la situación. Procura siempre mantener la calma y ser razonable.
- Nadie la tomará contigo si estás rodeada de buenos amigos. Acércate a las compañeras que suelan estar más solas y procura conocerlas. Harás nuevas amistades y mantendrás a raya a quiénes quieran meterse contigo.
- Nadie se merece que lo acosen. No te dejes acobardar ni alientes nunca a alguien que moleste a los demás, y, sobre todo, tú jamás te metas con nadie.

Cómo lograr que salte una rana de papel

Con el arte de la papiroflexia puedes hacer figuritas de papel con solo doblarlo convenientemente. Si sigues estos pasos, obtendrás como resultado una rana que, con un poco de práctica, podrá saltar dos metros de longitud o sesenta centímetros de altura. Sugiere a tus amigas que elaboren la suya y compite con ellas para demostrarles que la tuya es la mejor.

MODO DE HACERLO:

1. Corta un rectángulo de cartón de 8 x 5 cm. Puedes servirte de un paquete de cereales.
2. Dobla y desdobla desde la esquina A al punto D, y luego haz lo mismo desde la B hasta el punto C, y forma una cruz que ocupe dos tercios del rectángulo.
3. Después dobla y desdobla el cartón por la línea que une los puntos E y F.

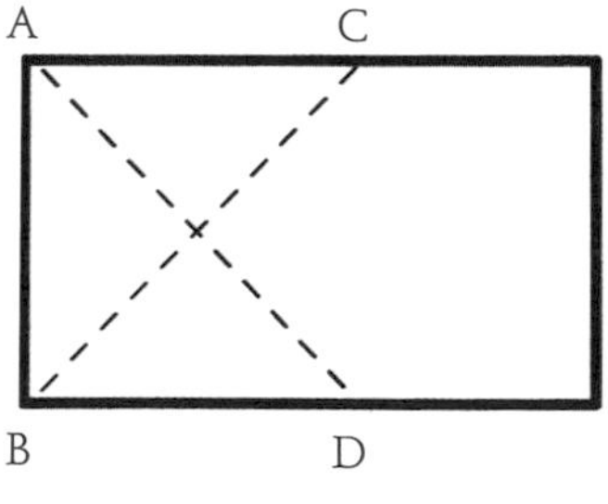

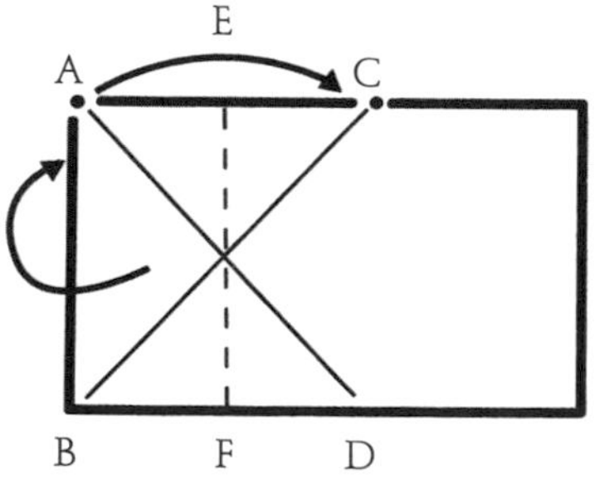

4. Presiona el punto central donde se encuentran los tres dobleces. El cartón debe saltar de dentro hacia fuera.

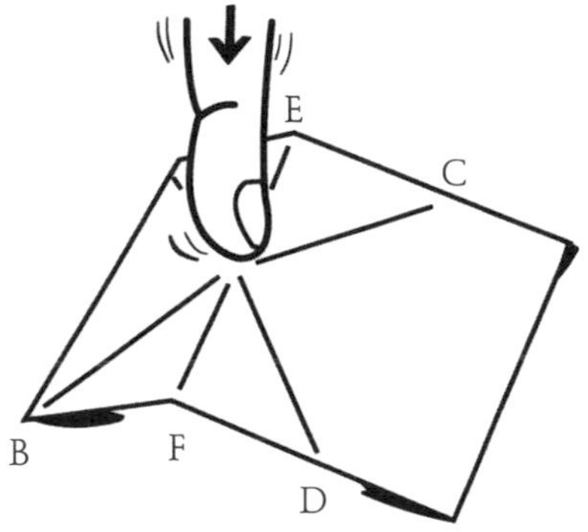

5. Dirige hacia dentro los puntos E y F y dobla la parte de arriba (A-B) sobre los puntos C y D.

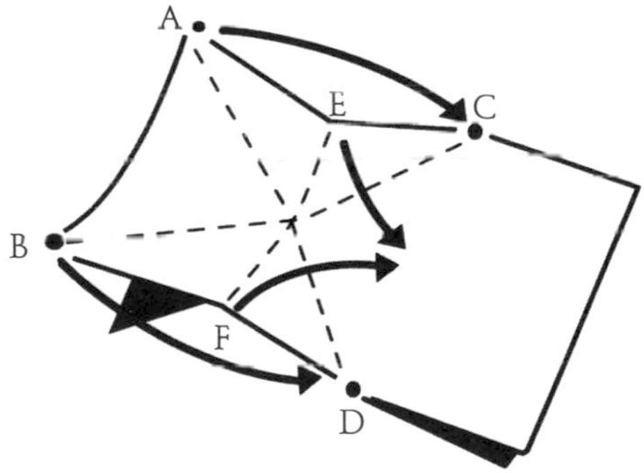

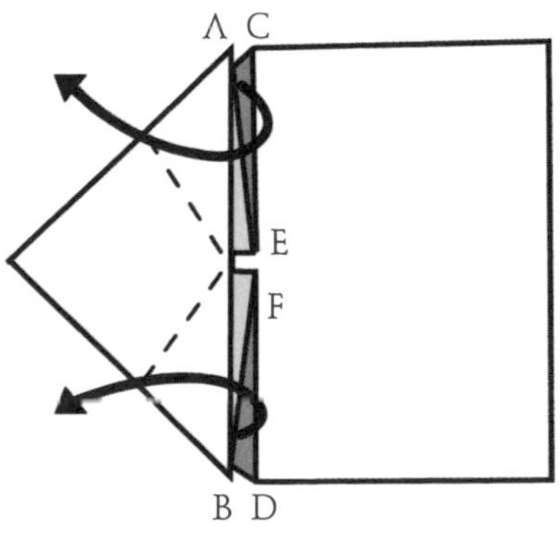

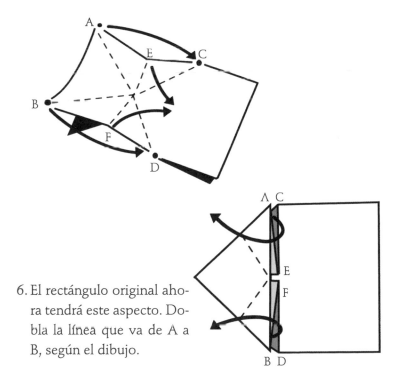

6. El rectángulo original ahora tendrá este aspecto. Dobla la línea que va de A a B, según el dibujo.

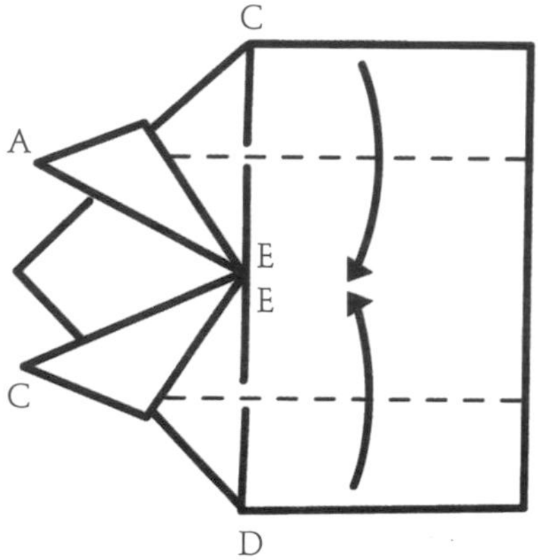

7. Dobla de C a D, según el dibujo.

8. Haz un plisado (se trata de plegar un poco el papel pero sin llegar a doblarlo del todo) en forma de Z, a la altura del centro del cuerpo de la rana y después haz un doblez igual por la cuarta parte.

9. ¡Ya la tienes! Presiona el extremo posterior del cartón y haz resbalar el dedo hacia fuera con rapidez, ¡la ranita saltará!

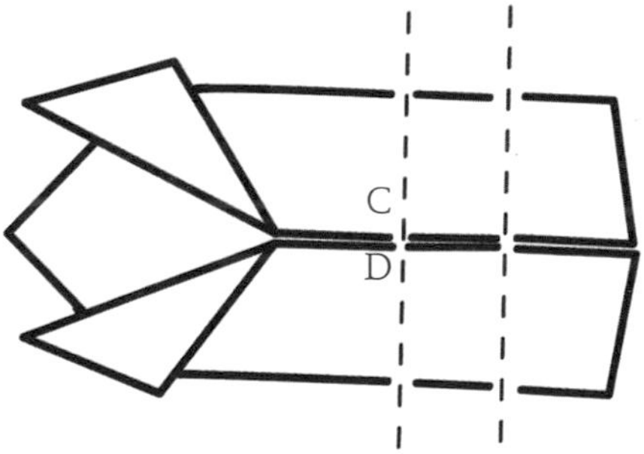

Cómo cultivar tus propios tomates

Dicen que los alimentos saben mejor cuando los ha cultivado uno mismo. Prueba a cultivar unos deliciosos tomates *cherry*. La mejor época del año es la primavera.

1. Si no quieres comprar las semillas, puedes coger las pepitas de alguno de los tomates que vayas a comer. Aclaralas en agua y deja que se sequen.
2. Echa un puñado de abono orgánico en varios tarritos (puedes utilizar envases vacíos de yogur). Coloca una semilla de tomate en el centro de cada tarro, justo bajo la superficie del abono, y cúbrela. Riega un poco el abono.
3. Etiquétalos y déjalos en el alféizar de una ventana en la que dé el sol. Riégalos cuando sea necesario, de tal modo que el abono esté siempre húmedo, pero no en exceso. Como una semana después, verás aparecer un minúsculo brote.
4. Al cabo de unas cuatro semanas, los brotes se habrán convertido en diminutas plantas. Sácalas con mucho cuidado de los tarros, procurando abarcar todas las raíces con los dedos y que no se parta ninguna. Traspásalas a tiestos grandes llenos de abono y afírmalas suavemente para evitar que se tuerzan.
5. Sigue vigilando y regando tus tomateras. Después de algunas semanas, deben aparecer las flores. Una vez que las flores se caigan, quedarán en la planta unos pequeños tomates verdes.
6. Habrán madurado cuando hayan adquirido un radiante color rojo y estén algo blandos, entonces estarán listos para comer.

Cómo viajar con una sola maleta

Los viajeros más sofisticados nunca van cargados con bultos de más. Hacer bien el equipaje es el secreto para ser una de esas chicas glamurosas que se pasean por los aeropuertos y las estaciones de tren con una sola maleta, eso sí, muy elegantes.

- Busca la maleta adecuada. Tiene que ser ligera, fácil de llevar y de reconocer, y lo bastante pequeña para que te dejen llevarla en el avión como equipaje de mano (en una buena tienda de maletas pueden informarte de las dimensiones).
- Escribe una lista de todo lo que vas a necesitar. Después, repásala y piensa si incluye algo que podrías descartar. Pon cada objeto que te parezca absolutamente necesario encima de la cama y táchalo de la lista. Lleva la lista contigo para comprobar que no te dejas nada olvidado cuando llegue el momento de regresar.
- Elige prendas que puedas combinar bien. Los objetos más frágiles debes colocarlos entre la ropa. Empieza con las prendas que menos se arruguen y se den de sí.
- Utiliza frascos pequeños para las cremas o líquidos y mételos en una bolsa de plástico. Así no mancharás nada si se derraman.
- Mete la ropa interior dentro del calzado (¡uf!). Ahorrarás espacio y además tus zapatos no se deformarán.
- Dobla todas las prendas con mucho cuidado antes de meterlas en la maleta. Luego rellena los huecos con calcetines.
- La ropa que más abulte, llévala puesta.

Cómo hacer el pino a la perfección

1. Busca un espacio donde no haya muebles ni otros obstáculos que pudieran hacerte daño si tropezaras con ellos. El terreno ha de ser llano, sin desniveles. El césped de tu jardín o de un parque es un buen lugar, porque donde crece la hierba el terreno es más blando.
2. Ponte derecha y levanta los brazos por encima de la cabeza.
3. Baja los brazos hacia el suelo, doblando a la vez el cuerpo por la cintura con mucho control hasta tocar el suelo con las manos.
4. A continuación, tienes que traspasar el peso de tu cuerpo de los pies a las manos. Levanta los talones, primero uno y después el otro. Ahora, viene lo más complicado. Si no subes las piernas lo suficiente, volverán a caer al suelo, y si intentas levantarlas con demasiada fuerza, darás la voltereta. Si te cuesta mucho mantener las piernas en alto, practica contra una pared, o pide a una amiga que te ayude sujetándote de las pantorrillas.
5. Si es necesario, mueve un poco las manos en el suelo hasta que consigas sentirte en equilibrio. Para que te resulte más fácil al principio, mantén las rodillas flexionadas de modo que los pies se inclinen por encima de la cabeza. Una vez que lo hayas practicado varias veces así, intenta hacerlo con las piernas estiradas del todo.

Cómo ser una maga profesional

Todo buen mago sabe que el éxito depende de una preparación minuciosa. Aquí tienes las reglas de oro para lograr una actuación brillante e impecable.

Prepárate antes de salir a escena…

- Ensaya una y otra vez todos tus trucos hasta que los puedas hacer con los ojos cerrados. Hazlo delante de un espejo; te harás una idea de la imagen que proyectarás al público.
- Repasa tu discurso. Un comentario divertido en el momento preciso distraerá a los espectadores, que habrán perdido la oportunidad de descubrir el secreto de tu magia.
- Nunca repitas un truco delante del mismo público, aunque te lo supliquen. No reveles jamás cómo lo has hecho.
- Antes de empezar la función, coloca las sillas en que se van a sentar los asistentes. No olvides que muchos trucos requieren que los espectadores estén justo enfrente y no puedan ver lo que tienes a tu espalda.
- Siempre que sea posible, pide al público que te preste aquello que puedas necesitar: monedas, lápices... Así sabrán que los objetos son auténticos.

Cómo ir por el mundo como van las «famosas»

Crea un aura de misterio y *glamour* a tu alrededor comportándote como el ser más fantástico de tu ciudad.

- Cómprate un par de enormes gafas de sol y tenlas puestas a todas horas, incluso por la noche y cuando estés en lugares cerrados.
- Utiliza expresiones como «Nada de fotos, por favor» y «Ojalá mis *fans* me dejaran respirar».
- Ve siempre superarreglada, hasta para ir al supermercado.
- Búscate un grupito que te siga a todas partes (unos pasos por detrás, naturalmente).
- Pon siempre cara de aburrida, aunque lo estés pasando en grande.
- En los restaurantes, pide siempre un plato que no tengan en la carta y quéjate aunque esté delicioso.
- Gesticula de forma exagerada.
- Ensaya tu firma para conceder autógrafos. Procura que sea extravagante e ilegible.
- Escribe una lista de exigencias sin sentido y preséntasela a tus padres, como: «Han de servirme cada refresco que pida con seis cubitos de hielo..., ni uno más ni uno menos».
- Sugiere a tu padre que se ponga una gorra de chófer cada vez que te lleve a algún sitio en coche.
- Empieza a escribir ahora tu biografía y asegúrate de que la publican antes de que cumplas veinte años. ¡Seguro que tiene éxito!

Cómo elaborar espuma de baño

Esta es la forma más sencilla y rápida de hacer tu propia espuma de lujo para darte un maravilloso baño cuando quieras disfrutar de ese capricho bien merecido. Podrás regalarle un poco a tu mejor amiga en un delicado frasquito de cristal.

MODO DE HACERLO:

1. Mezcla en un cuenco limpio dos tazas de champú incoloro, o de color claro, tres tazas de agua y dos cucharillas de sal. Remueve hasta que la mezcla espese un poco.
2. Añade una pizca de colorante rojo natural y remueve la mezcla. Sigue añadiendo colorante hasta que adquiera un perfecto color rosa.
3. Si echas a la mezcla diez gotas de alguna esencia concentrada conseguirás una fragancia adecuada. Los aromas de las esencias de rosa, lavanda, *ilang-ilang*, sándalo, mejorana, mirra, palisandro y camomila son especialmente embriagadores y muy relajantes.
4. Envasa la espuma de baño en una botella y ciérrala bien.

Cómo dominar la meteorología

¿Verdad que nadie te creería si dijeras que tienes la capacidad de controlar los fenómenos meteorológicos? Pues demuéstrales quién tiene los elementos de la naturaleza en sus manos, *creando* un arco iris o un relámpago.

Arco iris

1. No necesitas más que un día de sol, un vaso con agua lleno casi hasta el borde, y una hoja de papel blanco.
2. Coloca el vaso de pie sobre el borde de una mesa de tal forma que la mitad de la base quede dentro y la otra fuera.
3. Asegúrate de que los rayos de sol inciden directamente sobre el suelo a través del agua.
4. Pon la hoja de papel en el suelo y verás que la luz que atraviesa el agua crea un arco iris.

Relámpago

1. Ponte un jersey de lana. Infla un globo y busca por la casa una superficie metálica, como la puerta de una nevera o el costado de un fichero.
2. Apaga la luz para conseguir la máxima oscuridad posible. Frota unas diez veces el globo sobre tu suéter.
3. Luego agítalo cerca de la superficie metálica. Verás que entre el globo y el metal se produce un destello como el de un relámpago.
4. El efecto relámpago se produce porque has creado en la superficie del globo electricidad estática que escapa saltando hacia la superficie metálica.

Cómo hacer una pulsera de la amistad

Puedes intercambiar con tus mejores amigas pulseras de la amistad. Para hacer una, prueba con cuatro o cinco hebras de hilo. Cuando le hayas cogido el tranquillo, puedes usar todos los hilos que quieras para hacer pulseras más gruesas y de colores más variados.

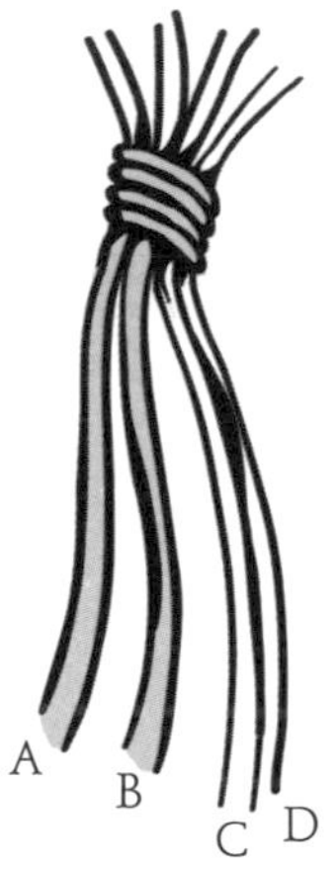

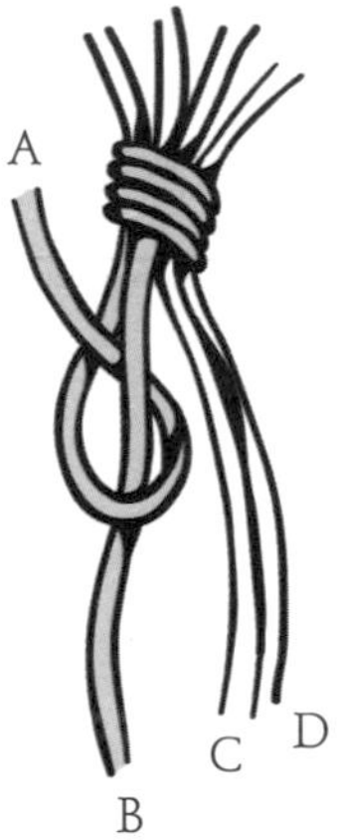

1. Elige cuatro hebras de perlé o de hilo de bordar de distintos colores de unos 60 cm cada una. Anúdalas por un extremo. Pega con celo o sujeta con un imperdible el nudo a alguna superficie para evitar que se mueva mientras trabajas en ella. Te resultará más fácil.

2. Coge la primera hebra de la izquierda (hebra A) y enróllala en la hebra B, haciendo un nudo según el dibujo. Tira de la hebra B para que se tense mientras haces el nudo y asegúrate de que queda bien apretado. Repite la operación con las mismas hebras para hacer un nudo doble.

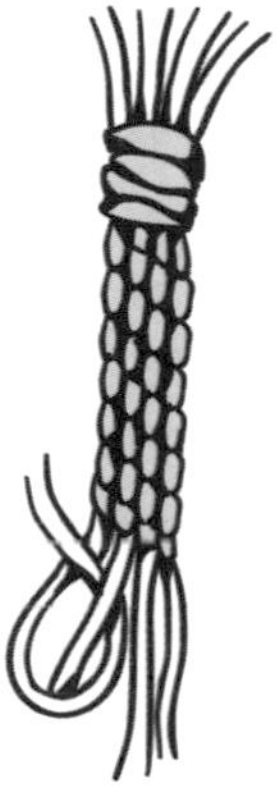

3. Todavía con la hebra A, haz un nudo doble alrededor de la hebra C, y, después, alrededor de la hebra D. Cuando hayas completado esta primera vuelta, la hebra A estará a la derecha y la B (que será con la que trabajes a continuación), estará a la izquierda.

4. Repite los pasos dos y tres con la hebra B, luego con la C y a continuación con la D. Después vuelve a empezar con la A. Cuando la pulsera sea lo bastante larga como para rodearte la muñeca, anuda los dos extremos. Para ponértela, rodea con ella la muñeca y átala por los nudos.

Cómo mejorar la memoria

Para tener buena memoria es necesario ejercitarla, por ejemplo, resolviendo pasatiempos o, mejor aún, problemas matemáticos...

- Intenta aprender algo nuevo, como tocar un instrumento musical o hacer punto de cruz o ganchillo, actividades perfectas para mantener tu cerebro en forma.
- Agudiza tus dotes de observación. Pide a alguien que reúna quince objetos pequeños de la casa y te los ponga delante en una bandeja. Estúdialos durante treinta segundos, y luego, sin mirarlos, escribe los que recuerdas. También puedes cerrar los ojos y pedir a una amiga que retire uno de los objetos. Después intenta adivinar cuál falta.
- Uno de los trucos más fáciles para recordar cosas es la repetición. Cuantas más veces la practiques, más deprisa memorizarás. Intenta aprenderte de memoria un poema cada semana. Léelo a solas varias veces en voz alta hasta que puedas recitarlo al dedillo.
- Las asociaciones de ideas facilitan el recuerdo de algo. Este procedimiento se llama *mnemotecnia,* y es muy útil. Un método característico consiste en relacionar el dato que se quiere recordar con una palabra o frase que nos resulte familiar. O para recordar una serie de palabras inconexas, por ejemplo, se puede crear una historia que relacione estas palabras, cuanto más disparatada mejor.
- También las rimas son útiles para memorizar. Lee el texto siguiente, no volverás a olvidar los días que tiene cada mes:

Treinta días trae septiembre
con abril, junio y noviembre;
y los demás treinta y uno.
Febrero es una excepción,
quédese para otro día la explicación.

Cómo hacer con el chicle el globo más grande

1. Primero, masca muy, muy bien el chicle. Elige el sabor que más te guste. Cuanto más grande sea, mayor te saldrá el globo. Además, es preferible que sea suave y elástico.
2. A continuación, estira el chicle con la lengua, extendiéndolo por detrás de los dientes delanteros.
3. Ahora, sitúa la punta de la lengua entre los dientes. Cierra los labios alrededor de la masa de chicle y sopla, a ver cómo de grande resulta el globo, pero ¡cuidado!, puede estallarte en toda la cara y pegarse a tu pelo.

Cómo sobrevivir en una película de terror

- Aunque te parezca que, por fin, has eliminado al monstruo, no te acerques para comprobar si de verdad está muerto. Se abalanzará sobre ti.
- Llegado el momento de huir del malo, ten presente que te vas a caer por lo menos dos veces.
- No aceptes nunca invitaciones de desconocidos que vivan en sitios aislados y no se relacionen con nadie.
- Si el motor del coche te falla por la noche, no te acerques a ningún caserón que parezca abandonado, aunque necesites llamar por teléfono.

- No bajes al sótano, sobre todo si se acaban de apagar las luces y el teléfono no funciona.
- Si el chico con quien has quedado te enseña los colmillos, vete a tu casa sin perder tiempo.
- Si tiene los dientes verdes y podridos, y se comporta, más de lo que suelen hacerlo todos, como un zombi, ¡vete a tu casa!
- Nunca digas «Vuelvo en seguida». No volverás.

Cómo silbar a todo volumen

Con un sonoro silbido llamarás la atención de cualquiera. Claro que también puedes molestar.

1. Lávate las manos. Junta las yemas de los dedos pulgar e índice para formar una O.
2. Acércate a la boca esa O e introduce los dedos hasta la primera falange. Apunta con las uñas de estos al centro de la lengua.
3. Cierra los labios y apriétalos alrededor de los dedos para que el aire solo se pueda escapar por el hueco que quede entre ellos.
4. Presiona con la lengua los dientes de abajo.
5. Expulsa el aire con fuerza, usando la lengua para dirigirlo hacia el hueco abierto entre tus dedos. Al mismo tiempo los dedos deben ejercer presión sobre el labio inferior.
6. Sigue practicando, variando un poco la posición de los dedos, los labios y la lengua, hasta que emitas algún sonido y oigas tu silbido.

Cómo lucir una belleza natural

Seguro que en la nevera o en los armarios de la cocina puedes encontrar los ingredientes adecuados para lograr que tu pelo y tu cutis luzcan como nunca.

- Exfoliante. Mezcla una cucharada de yogur, una pizca de miel y una cucharilla de azúcar granulado. Masajea suavemente la piel: eliminarás las células muertas.
- Mascarilla. Si tienes la piel seca, haz un puré con la cuarta parte de un aguacate, dos cucharadas de miel y la yema de un huevo. Aplica una capa fina (evitando los ojos). Déjala actuar durante 15 minutos antes de lavarte con agua caliente.
- Ojos. Para las ojeras, si las tienes: corta un higo fresco en dos mitades y ponte una en cada ojo. Relájate, por ejemplo, tumbada en la cama, y quédate así durante 15 minutos. Si sientes los ojos fatigados: disfruta con el efecto refrescante de dos rodajas de pepino encima de los párpados. Para aliviar cualquier molestia en los ojos: moja dos discos de algodón en agua de rosas, leche o jugo de aloe vera y póntelos sobre los párpados.
- Pelo. Para tenerlo suave y sedoso: bate una yema de huevo y ve añadiéndole, gota a gota, una cucharilla de aceite de oliva. Después, una taza de agua caliente. Lávate la cabeza con champú y luego aplícate la mezcla y déjala actuar unos minutos antes de aclarar. Para el brillo de tus rizos: una vez al mes, después de lavarte la cabeza, aclárate el pelo con una lata de cerveza sin espuma. Masajea el cuero cabelludo, antes de aclarar con agua otra vez.

Cómo hacer un vitral

Sigue estos consejos y obtendrás un estupendo resultado.

MODO DE HACERLO:

1. Coge dos láminas de cartón negro y dos de papel parafinado del mismo tamaño. Decídete por una imagen sencilla, por ejemplo, la silueta de una flor o de un delfín. Dibújala en uno de los cartones.
2. Mantén bien juntas las dos láminas de cartón y recorta la imagen dejando un margen alrededor.

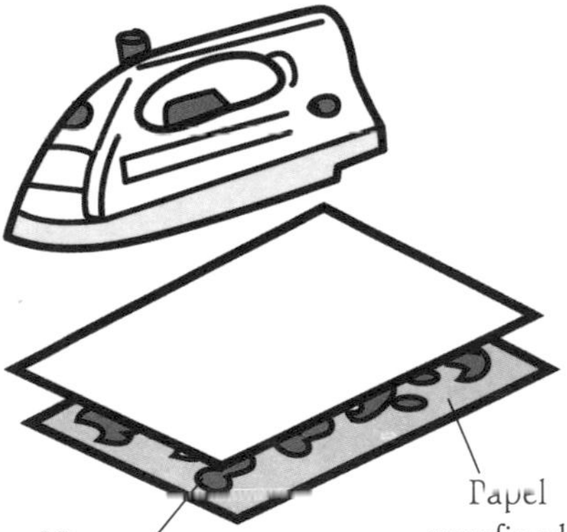

3. Elige los lápices de cera de los colores que quieras para decorar el dibujo. Con un sacapuntas, y con mucho cuidado, ve pelando los lápices para obtener virutas.
4. Cubre con las virutas de cera una de las hojas de papel parafinado. Coloca encima la otra hoja y pasa sobre ellas una plancha caliente.

5. Para montar el vitral extiende una de las láminas de cartón sobre una mesa y pégale el *sándwich* que acabas de hacer con el papel parafinado. Pega encima la otra lámina de cartón atrapando entre los dos cartones la hoja de papel parafinado. Cuelga el trabajo terminado junto a una ventana para que la luz lo atraviese.

Cómo dar un salto espectacular en la piscina

PREPARACIÓN. Sube al trampolín de la piscina. Ponte de pie con los brazos en los costados. Camina hasta el borde. Al llegar al borde, date la vuelta y quédate de espaldas al agua.

Es imprescindible que estés tranquila y segura de ti misma. NO tiembles como si te aterrorizara la distancia que tienes que saltar.

Álzate sobre los dedos del pie y da pequeños pasitos hacia atrás hasta que tus talones queden justo sobre el límite del trampolín y los dedos en el mismísimo borde.

Salto. Estira los brazos por encima de la cabeza y junta los dedos pulgares. Dobla las rodillas, baja los brazos a los costados y presiona hacia abajo el trampolín. Salta hacia arriba, alejándote del borde del trampolín, y, mientras saltas, dirige los brazos hacia delante y ve subiéndolos hasta ponerlos sobre la cabeza.

Punta de lanza. Al elevarte, levanta las piernas rectas apuntando hacia arriba. Empieza a doblar el cuerpo hacia delante por la cintura hasta que alcances los pies con los brazos estirados.

Acción. Empieza inmediatamente a desdoblarte. Ahora, la cabeza debe estar apuntando al agua. Estira los brazos y las manos hasta ponerlos por encima de la cabeza.

Entrada. Al entrar en el agua tu cuerpo tiene que estar completamente recto para que la salpicadura sea mínima.

Punta de lanza

Entrada

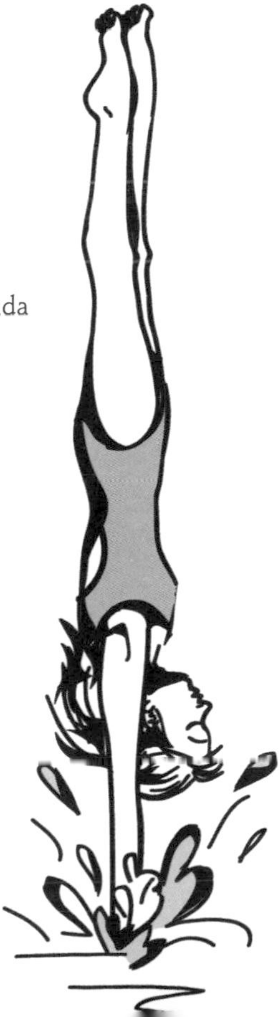

Cómo elaborar ratones de azúcar

Los ratones de azúcar son deliciosos y muy fáciles de hacer. Si no te los comes todos tú sola, mete unos cuantos en una caja bonita y regálaselos a una amiga.

MODO DE HACERLO:

1. Separa la yema de un huevo de la clara. Para hacer esto, casca el huevo cuidadosamente golpeándolo por la mitad contra el borde de una taza; vierte varias veces la yema del huevo de una mitad de la cáscara a la otra, sosteniéndolas por encima de la taza, hasta que solo quede la yema en la cáscara y la clara haya caído dentro de la taza (puedes pedir ayuda si quieres, porque esto es *complicadillo*). Bate la clara en un cuenco hasta que quede espumosa, sin que adquiera espesor ni consistencia.
2. Utilizando un colador, ve echando en el cuenco unos 450 gramos de azúcar glas mientras bates. Añade unas gotas de jugo de limón y remueve hasta que la mezcla quede blanda y moldeable.
3. Pon parte de la mezcla en otro cuenco y añádele, gota a gota, colorante rojo hasta que adquiera un color rosa. Es lo que utilizarás para hacer las orejas.
4. De la mezcla blanca, separa pequeñas cantidades. Amasa y moldea hasta conseguir la forma perfecta de ratón.
5. Con un poquito de la mezcla rosa, haz las orejas. Con caramelos diminutos o *gotas* puedes hacer los ojos y la

punta del hocico. Y para dar a tus dulces un toque simpático, con cordones no muy largos puedes ponerles rabitos.

6. Saca una bandeja del horno, ponla en un sitio fresco, coloca en ella los ratones y déjalos allí durante un par de horas.

Cómo decir disparates con sentido

Si quieres desconcertar a tus amigas mientras habláis sobre algo serio, *suelta un oxímoron* cuando menos se lo esperen. La expresión con sentido que resulta de combinar dos palabras contradictorias recibe el nombre de «oxímoron». Aquí tienes algunos ejemplos:

- Gas líquido
- Luz oscura
- Realidad virtual
- Juntos a solas
- Silencio ensordecedor
- Estimación exacta
- Principiante avanzado
- Sol negro

Cómo descubrir a un genio

Pide a tus amigas que cuenten las veces que sale la letra P en el siguiente texto:

PEDRO PÉREZ PELLICER
ES EL PELUQUERO PERFUMISTA
DEL PETIMETRE MÁS PAPANATAS
QUE ANDA POR EL MUNDO.

Son nueve veces, pero la mayoría de la gente cuenta ocho, porque con las prisas, el cerebro de muchos no registra la palabra *por.*

¡Quien cuente las nueve a la primera, es un genio!

Cómo defenderte de un ataque de zombis

Los zombis son conocidos también con el nombre de «muertos vivientes», porque son personas que han fallecido y cuyos cuerpos han revivido misteriosamente. No resulta difícil reconocer a un zombi. A pesar de parecerse bastante a la gente normal, su carne tiene un color verde pútrido por estar en descomposición. Suelen andar a trompicones, como si les hubiera deslumbrado el sol o estuvieran borrachos, y sueltan gemidos y gruñidos. Pero lo peor de los zombis es que te persiguen de forma implacable y es muy difícil pararles los pies.

- Si oyes por la tele o la radio la noticia de que hay una invasión de zombis, actúa con rapidez. Se multiplican muy deprisa. Si uno de ellos muerde o araña a alguien, la víctima se convertirá en seguida en otro zombi. Por desgracia, no tienen cura: un zombi será siempre un zombi. Así que es esencial ponerse a salvo lo más deprisa posible.

- Elige un sitio seguro para esconderte. Antes escucha con regularidad las noticias para saber qué zonas están infestadas de zombis y cuáles otras son menos peligrosas. Necesitarás abundante agua y comida. El escondite ideal es un supermercado. Cierra todas las puertas y ventanas y apila objetos pesados contra ellas para mayor seguridad. Comprueba que hay una salida de emergencia por si consiguen entrar en el edificio.
- Si por alguna razón tienes que salir a la calle a por provisiones, ponte ropa a prueba de mordiscos, por ejemplo, una chaqueta de cuero.
- Si te encuentras en medio de un grupo de muertos vivientes, finge ser uno de ellos. Tuerce la cabeza hacia un lado, babea y gime. Extiende los brazos hacia delante y mantén la mirada fija hacia el frente. Intenta atravesar el grupo cojeando un poco. Si te descubren, huye. Los zombis se mueven con bastante lentitud y, además, son tontos. Cambia de dirección con frecuencia y entretenles, por ejemplo, volcando sillas y gritando, les dejará completamente despistados.
- No gastes energía luchando contra ellos, los zombis son difíciles de matar (sobre todo, porque ya están muertos). Puedes destruirlos cortándoles la cabeza o machacándoles el cerebro, algunos morirán si les prendes fuego, pero se sabe de miembros que siguen moviéndose aun después de haber sido amputados.
- Si no tienes más remedio que enfrentarte a un zombi y luchar, cuando termines, revisa minuciosamente todo tu cuerpo por si hay en él alguna señal de mordisco.

Cómo ser un genio de las matemáticas

Propón a tus amigas que resuelvan esta sencilla suma. Léela en voz alta tal como está debajo. No les permitas usar calculadora ni lápiz y papel. Tienen que realizar las operaciones mentalmente.

Coge 1 000 y suma 40

Ahora suma otros 1 000

Ahora suma 30

Suma otros 1 000

Ahora suma 20

Suma otros 1 000

Por último, suma 10

¿Cuál es el total?

Probablemente, tus amigas dirán que la respuesta es 5 000.

¡Enhorabuena! Es verdad que eres un genio de las matemáticas, porque la respuesta no es correcta. La respuesta correcta es 4 100.

Si no te creen, que vuelvan a sumar con una calculadora mientras tú lees los pasos a seguir en voz alta.

Cómo hacer un comedero para pájaros

Durante el invierno es muy difícil para los pájaros encontrar alimento. Échales una mano colgando de un árbol o de una ventana este comedero tan fácil de hacer y ya verás como acude a tu jardín una enorme variedad de pájaros.

MODO DE HACERLO:

1. Busca una piña seca que se haya abierto, límpiala bajo el grifo y espera a que se seque. Cuando esté seca, unta mantequilla de cacahuete con una cucharilla, asegurándote de que llenas todos los huecos.
2. Cubre de alpiste una superficie plana y haz rodar la piña por encima. Presiona la piña con fuerza para que el alimento se pegue a la mantequilla y no se caiga. Asegúrate de que toda la mantequilla de cacahuete quede recubierta de alpiste.

3. Ata un cordón largo al rabillo de la piña y cuélgala lejos del alcance de los gatos.

Cómo leer las líneas de la mano

La quiromancia es la supuesta adivinación del porvenir y de los rasgos del carácter de una persona por las líneas o rayas dibujadas en sus manos. ¡Domina esta habilidad! ¡Lograrás ser el centro de atención en cualquier fiesta!

Este diagrama muestra las principales líneas que verás en la palma de una mano. No todo el mundo tiene todas, y algunas pueden ser más largas o estar menos definidas en unas personas que en otras. Estudia atentamente la mano derecha de tu amiga y utiliza las claves que vienen a continuación para interpretar sus líneas.

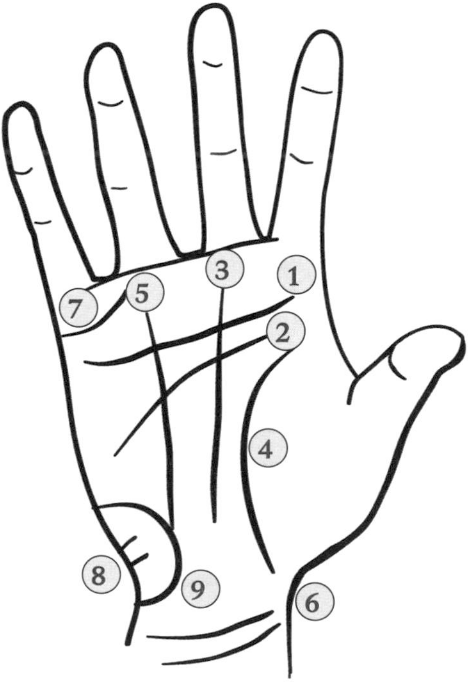

1. La línea del corazón. Cuanto más larga sea, más extrovertida y abierta será tu amiga. Si tiende a ser recta, es romántica y apasionada.
2. La línea de la cabeza. Esta línea también te da pistas sobre su personalidad. Si es curva, será espontánea, pero si es recta preferirá ser práctica y no permitirá que su corazón se imponga a su razón. Cuanto más marcada esté esta línea, más imaginativa será.
3. La línea del destino. No todo el mundo la tiene. Quienes sí la tienen suelen ser personas responsables y decididas.
4. La línea de la vida. Si es larga, significa que tu amiga es muy animada y que sabe disfrutar de la vida. Si es más corta significa buena salud. Si no está muy marcada, es que es algo indecisa.
5. La línea del sol. Si es corta, augura éxitos futuros. Si es larga, anuncia riqueza y felicidad. Si termina en forma de estrella, tu amiga está destinada a ser famosa.
6. La línea de la suerte. Si es continua, indica treinta años de buena suerte. Los cortes, sin embargo, anunciarían períodos menos afortunados de la vida.
7. La línea de las relaciones. Si esta línea es larga y horizontal, significa que tu amiga disfrutará de una relación amorosa duradera. Si tiene más de una, que serán varias las relaciones a lo largo de su vida. Si se curvan hacia arriba, no hay problema, todas serán relaciones felices.
8. Las líneas de los viajes. Cuantas más líneas de estas tenga, más segura puedes estar de que le gusta viajar
9. La línea de la intuición. Las personas que la tienen suelen comprender las cosas instantáneamente.

Cómo hacer un pompón

Hacer un pompón es muy fácil, y con ellos se pueden adornar muchas cosas. Puedes darle un toque original a tu ropa cosiendo un par en los extremos de la bufanda, otro, en la punta de tu gorro de lana o incluso puedes colgar unos cuantos en el árbol de Navidad. Hay lanas de todos los colores, ¡elige los que más te gusten!

NECESITARÁS lana, unas tijeras y una lámina de cartón.

MODO DE HACERLO:

1. Dibuja dos círculos idénticos en el cartón (inténtalo rodeando con lápiz el extremo de un objeto redondo, por ejemplo, una lata). Cuanto más grandes sean los círculos, mayor será el pompón. Dibuja un círculo más pequeño en el centro de cada uno de ellos. Recorta los dos grandes y luego los interiores para obtener dos piezas de cartón con forma de anillo.

2. Corta la lana en segmentos de un metro.
3. Junta los dos círculos, uno exactamente encima del otro, e introduce la hebra por el centro. Pasa ahora el otro extremo, una y otra vez, alrededor del anillo y ve cubriéndolo completamente.

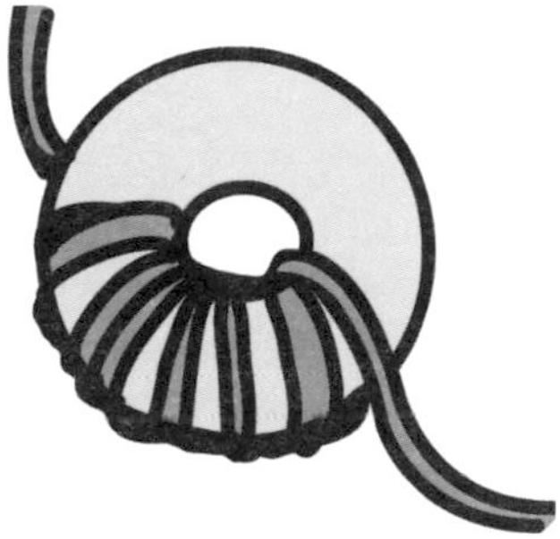

4. Cuando hayas terminado con la primera hebra, haz lo mismo con las demás. No hace falta que las anudes a las anteriores, asegúrate solo de que la lana cubre completamente el anillo.

5. Sigue cubriéndolo hasta que el agujero sea tan pequeño que ya no puedas pasar la hebra.
6. Introduce las tijeras a través de la lana entre los dos círculos de cartón. Corta la lana alrededor del borde exterior de los anillos.

7. Coge otra hebra, esta vez más corta, y haz un nudo con ella, alrededor de la lana, entre los dos anillos. Átala también al extremo que te haya quedado suelto. Ya puedes retirar los anillos de cartón, atusar la bola y lucir tu pompón.

Cómo ser quien más aguanta sin pestañear

Sitúate delante de tu rival y fija tu mirada en sus ojos. Él o ella habrá de hacer lo mismo. La primera que pestañee o retire la mirada, pierde. No es tan fácil como parece, pues si no pestañeas, los ojos se secan y te empiezan a escocer. Sigue estos consejos si quieres ser imbatible:

- Antes de que empiece la prueba, cierra los ojos lo más fuerte que te sea posible, y todo el tiempo que puedas, para producir lágrimas y mantener los ojos húmedos.
- También puedes echarte unas gotitas de suero, pero antes consulta con tu farmacéutico. La verdad es que esto es hacer trampa, así que comprueba que nadie te ve.
- Durante la prueba, mantén los ojos muy abiertos y cuando creas que estás a punto de pestañear, ábrelos todavía más. Por supuesto, no se trata de una respuesta natural, pero de ese modo los ojos te lagrimearán y podrás mantenerlos húmedos.
- Cuando creas que estás a punto de pestañear, frunce el entrecejo y bizquea. Volverás a producir lágrimas y aguantarás más tiempo sin apartar la mirada.

Cómo convertir el agua en limonada

Reúne a tus amigas y diles que estás a punto de hacer un milagro: de convertir el agua del grifo, tan insípida, en limonada.

Para asegurarte el triunfo, tienes que preparar de antemano una jarra trucada y puede que ensayar varias veces.

1. Coge una jarra grande de porcelana o de barro. Porque si es transparente no hay milagro que valga.
2. Adhiere un poco de masilla en la base de una taza de plástico y métela en la jarra, presionándola para que se quede pegada.
3. Rellena con trozos de esponja o trapos absorbentes el espacio que quede entre la taza y la jarra, sin dejar huecos, para evitar que se caigan cuando vuelques la jarra.
4. Llena con mucho cuidado la taza con limonada.
5. Ya estás lista para hacer el milagro. Reúne a las chicas y haz que se sienten en un lugar desde el que no se vea el interior de la jarra.
6. Llena un vaso con agua. Echa un poco en la jarra procurando que no caiga dentro de la taza sino en las esponjas y los trapos, que la absorberán.
7. Farfulla una impresionante fórmula mágica y mueve misteriosamente las manos por encima de la jarra.
8. Inclínala y vierte el contenido de la taza en un vaso vacío. Dáselo a probar a una de tus amigas y luego repanchígate en tu silla y preparate para recibir con orgullo los aplausos.

Cómo convencer a la gente de que eres una experta en animales

Comparte con tus amigas estos datos curiosos sobre algunos animales y las convencerás de que eres una autoridad en zoología.

Introduce siempre la información que vayas a ofrecer con expresiones como «Mis fuentes me indican que…», «Mis investigaciones han demostrado que…» o «Estoy segura de que mis colegas no me van a discutir que…»:

… los gatos tienen 32 músculos en cada oreja.
… los cocodrilos no pueden sacar la lengua.

… el graznido de un pato no produce eco.
… todos los osos polares son zurdos.
… las vacas pueden subir unas escaleras, pero no bajarlas.
… un caracol puede pasar tres años dormido.
… lo más que dura un pollo volando son 13 segundos.
… las hormigas no duermen.

… el corazón de un erizo late una media de 300 veces por minuto.
… el burro ve sus cuatro patas al mismo tiempo.
… el topo puede excavar un túnel de 90 metros en una noche.
… los ojos de los avestruces son mayores que su cerebro.
… las mariposas prueban la comida con los pies.
… si le cortas la cabeza a una cucaracha puede sobrevivir semanas hasta que se muera de hambre.
… los delfines duermen con un ojo abierto.
… las babosas tienen cuatro hocicos.
… las jirafas se pueden limpiar las orejas con la lengua.
… los tiburones no tienen huesos.
… los canguros no pueden andar de espaldas.

Cómo hacer un truco de cartas

Aquí tienes uno de lo más sencillo:

1. Baraja las cartas. Mira la última y retenla en tu memoria. Pide a alguna de tus amigas que saque una carta y la recuerde, pero que no te diga cuál es.
2. Corta la baraja. Separa la mitad superior y que tu amiga ponga su carta encima.
3. Coloca la mitad inferior de la baraja sobre la superior. Pon cara de misterio y dale con los dedos unos golpecitos a la baraja.
4. Luego ve descubriendo las cartas una por una. Cuando llegues a la que viste al final de la baraja, sabrás que la de tu amiga es la siguiente.

Cómo desarrollar tu árbol genealógico

Pregunta a tus parientes cómo se llamaban tus antepasados y conoce la historia de tu propia familia. ¡Será fascinante!

MODO DE HACERLO:

1. Es mejor empezar de delante hacia atrás. Así que empieza por poner tu nombre al final de una hoja de papel.
2. Escribe los nombres de todos tus hermanos, por orden de edad, a la misma altura que el tuyo. El mayor debe ir a la izquierda y el menor a la derecha.
3. Con una regla, traza una línea vertical, de no más de un centímetro, sobre cada uno de los nombres. Se unirán después a otra línea horizontal más larga.
4. A continuación, dibuja una única línea vertical hacia arriba desde el centro de la horizontal que os conecta a ti y a tus hermanos.
5. Traza encima de esta vertical una horizontal más corta, de manera que se forme una T. Escribe el nombre de tu padre a la izquierda de esta horizontal y el de tu madre a la derecha.
6. Escribe a la derecha del nombre de tu madre, los de sus hermanos, y a la izquierda del nombre de tu padre, los de los suyos. Recuerda que los de más edad tienen que quedar a la izquierda y los más jóvenes a la derecha.
7. Ahora, aplica el mismo método que seguiste con tus propios hermanos. Une los nombres de los hermanos de tu padre con una raya horizontal a la izquierda y, desde ella, traza una línea vertical ascendente hasta los padres de tu padre (que son tus abuelos paternos). Haz lo mismo con los padres de tu madre.

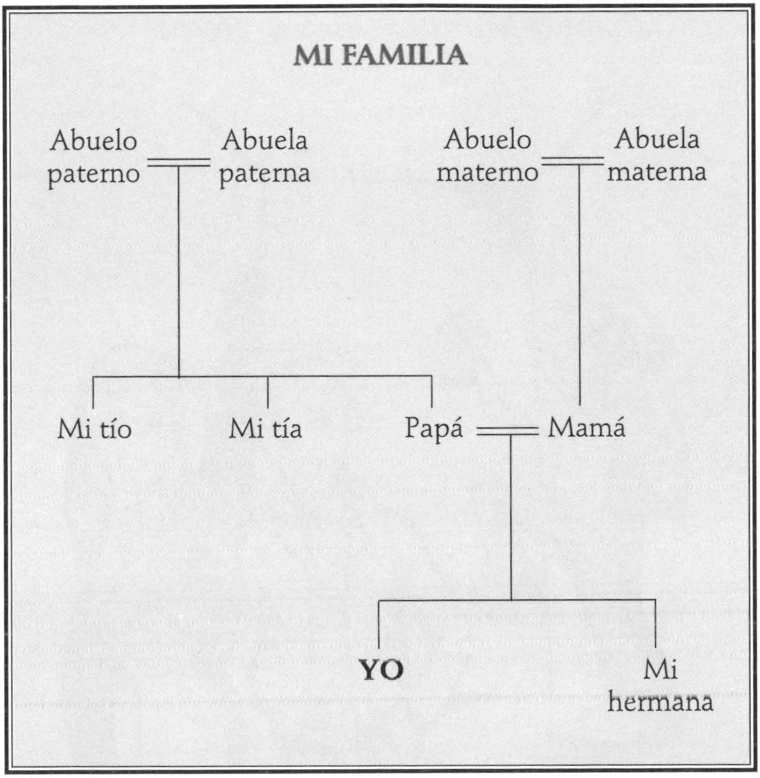

8. Siguiendo el mismo sistema, escribe los nombres de tus dos parejas de abuelos, y de sus respectivos hermanos, y conéctalos con los nombres de sus padres (que serán tus bisabuelos).
9. Sigue haciendo esto hasta remontarte en el pasado todo lo que te permitan los recuerdos de las personas con las que hayas hablado.

UNA SUGERENCIA: si las puedes conseguir, incluye las fechas de nacimiento, las que puedas, así como las de defunción.

Cómo incordiar en un ascensor

- Si subes con alguien en un ascensor y quieres incordiarle, sonríele y anúnciale: «Llevo calcetines nuevos».
- Lánzate de una pared a otra como si estuvieras navegando en mar revuelto.
- Propón cantar una canción a dúo.
- Cada vez que lleguéis a un piso, grita: «¡Bingo!».
- Saluda y di «Bienvenido a bordo» si alguien más entra en el ascensor.

- Abre tu bolso, asómate al interior y pregunta: «¿Tienes bastante aire ahí dentro?».
- Maúlla de vez en cuando.
- Permanece inmóvil y en silencio de cara a la pared y no salgas cuando se abra la puerta.
- Imita el rugido de un coche de carreras cada vez que se abra la puerta.

Cómo hacer una vela gigante

MODO DE HACERLO:

1. Corta por el cuello una botella de plástico (es más fácil trabajar con botellas de lados rectos).
2. Coge un buen puñado de lápices de cera y rómpelos por la mitad. Preferiblemente que sean todos del mismo color. Pregunta a un adulto si tiene una sartén vieja que te pueda prestar y derrite en ella las ceras a una temperatura no muy alta.
3. Llena completamente la botella con hielo picado (y pícalo mucho para que no queden trozos grandes; de esta forma la vela no tendrá agujeros).
4. Clava en el hielo una vela larga y fina procurando que quede lo más centrada posible. Comprueba que llega al fondo de la botella y sobresale un poco por el cuello.
5. Vierte la cera derretida en la botella hasta llenarla. El hielo se derretirá y el agua se saldrá de la botella. El agua helada hará que la cera se solidifique.
6. Una vez que se haya solidificado, corta la botella de plástico (tira el plástico al contenedor adecuado) y... ¡lista! ¿A que es gigante?

Cómo hacerte una manicura perfecta

Si quieres que todos se fijen en tus manos, aprende a hacerte la manicura a la perfección y dedica unos minutos al menos un día a la semana al cuidado de tus uñas.

1. Utiliza crema para uñas (el bálsamo de labios o la vaselina también sirven) y masajéate las cutículas, que son las tiras finas de piel que hay en la base de las uñas. Luego, deja las manos en remojo en agua caliente con jabón durante diez minutos para suavizar la piel y las uñas.
2. Aclárate las manos y comprueba que las uñas están muy limpias. Si es necesario, frótalas con un cepillo. Extrae cualquier suciedad que pueda quedar debajo de las uñas con un palito de naranjo. Sécate muy bien.
3. Con mucha suavidad, empuja hacia atrás las cutículas deslizando sobre las uñas una espátula perfiladora o el mismo palito de naranjo. De este modo, eliminarás la piel muerta y tus cutículas presentarán una forma redondeada.
4. Después de lavarte y secarte otra vez las manos, para igualar tus uñas, córtalas a la longitud que prefieras. Es mejor cortarlas de una sola pasada, por lo que a menudo los cortaúñas de los pies dan mejor resultado que las tijeritas redondeadas que suelen emplearse para las manos.
5. A continuación, suprime las puntas que haya podido dejar el cortaúñas y perfecciona la forma de las uñas con una lima. Lima solo en una dirección, pero nunca de atrás hacia delante, porque así debilitarías las uñas y se

romperían con facilidad. Suaviza los bordes con un pulidor. Lávate y sécate por última vez las manos.

6. Este es el momento de aplicar el esmalte o pintaúñas (antes puedes utilizar un abrillantador o alisador de uñas). Elige el color que más te guste. El tono porcelana es muy elegante y discreto. Para evitar grumitos en el esmalte, mete el frasco en la nevera y mantenlo allí durante cinco minutos. Para evitar líneas verticales, no apliques más de tres capas por uña y no empapes demasiado el pincel. Comienza por el centro de la uña y luego pinta los lados.
7. Espera por lo menos quince minutos a que se sequen. Cuanto más resistas la tentación de ponerte los guantes, los calcetines o los zapatos, menos probable es que te estropees esas uñas tan bien pintadas.
8. Por último, hidrata tus manos con mimo. ¡Te sentirás como nueva!

Cómo coleccionar autógrafos

- Hazte con un álbum adecuado para tu colección de autógrafos. Adorna la cubierta como más te guste.
- Busca con regularidad en el periódico los acontecimientos a los que acudan grandes personalidades, por ejemplo, la presentación de un libro o el estreno de una película. Plántate allí y ármate de paciencia, te tocará hacer cola para conseguir el autógrafo.
- Si un día ves a un famoso, cuyo autógrafo desearías conseguir, dirígete a él y pídeselo, siempre muy cortésmente, claro. Nunca lo hagas si el momento no es el

adecuado. Por ejemplo, a nadie le gusta que lo molesten mientras come o está hablando por teléfono.

- Escribe a los clubs de fans o a representantes de famosos expresándoles tu deseo de conseguir un autógrafo. Si pones en ello toda tu ilusión, es más que probable que te contesten. Explícales por qué eres fan y ofréceles información sobre ti. Adjunta siempre un sobre con un sello y con tu dirección, y un papel en blanco para la firma.

Cómo descubrir tu ángulo muerto

1. Cúbrete con una mano el ojo izquierdo y sostén este libro con la mano derecha. Mira el círculo negro que hay al pie de esta página.
2. Acerca poco a poco el libro a tu cara, sin dejar de mirar al círculo.
3. Cuando el libro llegue a una determinada distancia de tu ojo derecho, la estrella desaparecerá. ¡Bingo! Has encontrado tu ángulo muerto.
4. El efecto del ángulo muerto se produce por una falta de células receptoras de luz en el disco óptico de la retina.

Cómo patinar sobre hielo

Antes de poner un pie en la pista, asegúrate de que cuentas con el equipo adecuado. Caer sobre una superficie tan dura como lo es una pista de hielo puede hacer un poco de daño, y al principio todo el mundo se cae unas cuantas veces. Lleva rodilleras, coderas y guantes para ir bien protegida.

1. Comprueba que los patines se ajustan bien a tus pies y no te oprimen los dedos.
2. Cuando pises el hielo por primera vez, tómate un tiempo para encontrar el equilibrio. Si puedes, ve con una amiga que ya sepa patinar; que te sujete y dé unas vueltas contigo hasta que te acostumbres a los patines.
3. Mantén en todo momento las rodillas ligeramente dobladas hacia delante de tal modo que no puedas verte los pies. Los hombros también tienen que ir un poco adelantados, en línea con las rodillas.
4. Procura relajar todo el cuerpo, sobre todo las rodillas. Te será más fácil mantener el equilibrio y, además, si te caes, te harás menos daño. Si crees que estás a punto de caerte hacia atrás intenta resistir la tentación de estirar los brazos para frenar la caída. ¡Más vale un trasero dolorido que una muñeca rota!

5. Para patinar hacia delante descarga tu peso sobre el pie izquierdo y dirige el derecho hacia fuera deslizándolo en diagonal. Repite el mismo movimiento descargando tu peso sobre el pie derecho y deslizando hacia delante el izquierdo. Mueve el cuerpo en el sentido de cada deslizamiento. Con práctica, te deslizarás sobre el hielo como una campeona.
6. Para disminuir la velocidad coloca un pie a tu espalda con la punta del patín clavada en el hielo. Arrastra así el pie por la superficie hasta que te pares del todo.

Cómo secar flores

Sigue estas instrucciones para planchar tus flores favoritas y disfrutar de su color y del brillo de las hojas del verano a lo largo de todo el año sin necesidad de comprar una plancha especial para flores.

Antes de elegir las flores que quieres planchar, imagina cómo quedarían lisas. Algunas, como los narcisos, tienen una forma un poco rara y no quedan bien. Escógelas de formas sencillas que no tengan demasiados pétalos (si es necesario, siempre puedes deshacerte de unos cuantos para simplificarlas un poco).

Así es como tienes que planchar las flores para conseguir los mejores resultados:

1. Cógelas cuando estén secas. Si están mojadas por la lluvia o la escarcha, corren el riesgo de cubrirse de moho.
2. Elige un libro grande y pesado, como la guía telefónica o un volumen de una enciclopedia. Corta láminas de cartón de menor tamaño que el formato del libro. Luego corta papel de periódico y de seda en cuadrados de 10 × 10 cm.
3. Pon un cuadrado de papel de periódico encima de una lámina de cartón. Luego pon un cuadrado de papel de seda encima del de periódico. Coloca con cuidado las flores y hojas sobre el papel de seda, asegurándote de que no se tocan unas con otras.
4. Cúbrelas con otra lámina de papel de seda, luego con una de periódico y finalmente con una de cartón. Sigue haciendo estos *sándwiches* de flores hasta que las tengas todas colocadas. A continuación, introdúcelos entre distintas páginas del libro que vas a usar de plancha.
5. Pon varios libros encima del que tiene las flores y déjalos así unos quince días. Cuando saques las flores al cabo de esas dos semanas, hazlo con muchísimo cuidado.
6. Una vez planchadas, úsalas para adornar tarjetas de felicitación o las tapas de tus cuadernos, o para diseñar marcapáginas. Colócalas a tu gusto sobre la superficie que quieras y cúbrelas con un forro adhesivo transparente.

UNA ADVERTENCIA: no arranques flores silvestres ni de los parques públicos y pide permiso antes de cogerlas de algún jardín privado.

Cómo hacer batidos de leche helada en cinco minutos

Atrévete a preparar los mejores batidos de leche helada del verano, de esos que hacen que la boca se te haga agua. ¡Todo el mundo querrá repetir!

Modo de hacerlo:

1. Vierte una taza de leche en una bolsa de plástico que se pueda sellar y añade una cuchara pequeña de azúcar y unas gotas de esencia de vainilla. Cierra la bolsa y sacúdela con energía para mezclar los ingredientes.
2. Llena una bolsa de plástico más grande de cubos de hielo. Coloca la bolsa que contiene la mezcla para el batido dentro de la bolsa de hielo y ata las dos con un nudo.
3. Sacude las bolsas durante cinco minutos. Ten cuidado, porque el agua se puede salir. Por eso conviene que lo hagas en el patio o el jardín.
4. Saca la bolsa pequeña, ábrela con cuidado y a disfrutar.

¡Siguiendo este mismo procedimiento puedes hacer sorbetes, sustituyendo la leche y la vainilla por agua y zumo de frutas!

Cómo acampar en plena naturaleza salvaje

¿Así que tu avión se ha estrellado en medio de la nada y tienes que sobrevivir hasta que llegue el equipo de rescate? Bueno, no te preocupes.

- Como es posible sobrevivir mucho más tiempo sin comida que sin agua, tu prioridad es encontrar agua. Busca un sitio para acampar que esté cerca de una fuente de agua, pero no demasiado cerca, porque puede ser un lugar al que acudan a beber los animales salvajes.
- Tienes que construir un refugio para protegerte del sol o de la lluvia. Todo refugio requiere una fuerte estructura que lo sostenga. A ver si encuentras una cueva natural, un árbol caído, o una roca grande en la que puedas apoyar tu refugio. Reúne palos y ramas y amontónalos en ángulo con el tronco del árbol o la cara de la roca. Asegúrate de que cabes en el espacio que quede debajo de las ramas y puedas pasar la noche ahí.
- Reúne ramas y palos más pequeños y rellena con ellos los huecos que quedan entre los palos más grandes. Luego cúbrelos de hojas, hierba, helechos o lo que encuentres. Evitará el paso del viento o la lluvia y con un poco de suerte te permitirá mantener el calor.
- Reúne tanta madera seca como puedas para hacer una hoguera. También puedes usar cortezas de árbol o inclu-

so estiércol. Enciende la hoguera por lo menos a diez pasos de tu refugio para que no te moleste el humo y no haya peligro de que se prenda el matorral seco.

- Si no quieres pasar frío por la noche, calienta piedras en la fogata, entiérralas y duerme encima de ellas.
- Es imprescindible mantener todo el tiempo viva la hoguera y tener preparado junto a ella un montón de hojas húmedas. Si oyes el ruido de un avión o un helicóptero, arroja esas hojas al fuego para crear una humareda que llame su atención.
- En cuanto a buscar comida, ten cuidado. No te dejes tentar por las setas. Hasta a los expertos a veces les resulta difícil distinguir las que son comestibles de las que son venenosas. También las bayas pueden tener su peligro. Por lo general, la mayoría de las blancas o amarillas son venenosas y las azules o negras, no. Pero hay excepciones. Lo más seguro es comer insectos. Sentirás repugnancia, pero son nutritivos y no te harán daño.
- Y si sabes que te están buscando, lo mejor es que no te muevas de donde estás.

Cómo cuidar a un caballo

1. Ponle el ronzal y átalo con una cuerda para que no se escape mientras lo cepillas.
2. Empieza pasándole una rascadera para que se lleve cualquier suciedad que se le haya quedado pegada. Muévela con firmeza y en círculos, pero más suavemente en sus zonas más sensibles o huesudas, como las patas y la tripa. Evita la cabeza del caballo.

3. Usa un cepillo con cerdas gruesas para que se lleve toda la suciedad que acabas de soltar con la rascadera. Las cepilladas tienen que ser largas, empezando por el cuello y siguiendo la dirección del pelo. Continúa evitando la cabeza.
4. Límpiale con cuidado los ojos y los belfos con una esponja húmeda o un paño suave.
5. Usa un peine grande que tenga los dientes muy separados para desenredar la crin y la cola. Empieza por el nacimiento del pelo y peina hacia abajo. Mientras le peinas la cola no te sitúes detrás del caballo, sino a un lado, si no quieres que te dé una coz.
6. Usa un cepillo suave y pásalo con cepilladas largas por todo su cuerpo para que el pelo quede muy brillante.
7. Límpiale los cascos con un instrumento que tenga pico para quitarle cualquier piedra o suciedad que se le haya incrustado. Empieza por el talón y termina por delante, sin tocar la zona más sensible que tiene forma de uve.

Como gastar bromas pesadas a tu familia o a tus amigos

No dejes de tener sentido del humor. Atrévete a poner de los nervios a tus padres, hermanos y amigos con las bromas más originales.

- En un día de lluvia, llena de confeti el paraguas de tu madre, déjalo bien cerrado y espera a que lo abra.
- Pincha con un alfiler la parte superior de la pajita con la que está bebiendo tu hermano.
- Ten en la boca unas cuantas pastillas de chicle blancas y finge que te estampas contra la pared. Entonces ponte a gimotear y escupe los chicles. Tu padre creerá que estás escupiendo los dientes.
- Busca un trapo viejo. Deja una moneda en el suelo y quédate cerca de ella. Cuando tu hermana pase por allí y trate de coger la moneda, rompe el trapo. Pensará que se le ha roto la falda.
- Si tu amiga está bebiendo una bebida en lata con burbujas y parece despistada, échale azúcar. Producirá espuma y se derramará fuera de la lata.
- Manda a una de tus amigas a hacer un encargo descabellado, es decir, a hacer algo imposible. Por ejemplo, que vaya a una tienda y te compre toallas impermeables, o pintura a rayas, o una lata de alegría, o una larga espera...

Cómo enviar mensajes «top secret»

Si dominas el arte de fabricar tinta invisible y sabes cómo hacer que vuelva a ser visible podrás mandar mensajes secretos a tus amigas. Todo el que no esté involucrado en el juego solo podrá ver una hoja de papel en blanco.

1. Mezcla en un tazón, en cantidades iguales, agua y bicarbonato de sosa. ¡No te pases! Una cantidad pequeña da para mucho, así que con un poco de cada cosa es suficiente.
2. Moja en la mezcla la punta de un palillo de dientes o un bastoncillo de algodón y escribe tu mensaje en una hoja de papel.
3. Para desvelar el mensaje, sencillamente acerca el papel a una bombilla encendida (sin tocarla, o el papel se chamuscará). El mensaje se hará visible en color marrón porque el calor que produce la bombilla reacciona con el bicarbonato de sosa.
4. Otra forma de desvelar el mensaje es pasar sobre el papel un pincel untado de jugo de uvas negras. Al mezclarse con el bicarbonato, aparecerán las letras.

Ahora ya puedes comunicarte con un absoluto secretismo.

Cómo provocar un desastre doméstico de pega

Asusta a tus padres causando un desastre doméstico por el que no serás castigada.

- Decide qué desastre te apetece provocar. ¿Una mancha de café o de tinta en la alfombra, o una vomitona de gato en la camiseta favorita de tu madre?
- Utiliza pinturas. El color chocolate parecerá café, el azul cobalto, tinta, y el rosa y el naranja son ideales para simular una buena vomitona. Mezcla los colores con cola blanca hasta obtener una sustancia espesa y pegajosa.
- Si quieres que el falso vomito parezca del todo real, añade un puñado de cereales a la mezcla.
- Vierte todo en una lámina de papel parafinado. Cuando la mezcla esté seca, recorta bien los bordes de la pasta de cola y pintura de manera que el papel quede oculto debajo del «vómito».
- Coloca esa asquerosidad donde más impacto vaya a provocar: encima de la corbata favorita de tu padre o de la mesa de madera recién barnizada. Espera a que alguien lo vea y suelte un grito. ¡Ten paciencia!

Cómo predecir los cambios del tiempo

Un barómetro es un instrumento que mide los cambios de la presión atmosférica y te da una idea del tiempo que va a hacer. Si quieres tener tu propio barómetro para pronosticar el tiempo, sigue estas instrucciones.

MODO DE HACERLO:

1. Infla un globo (que quede bien inflado) y luego deja que se desinfle.
2. Córtalo por la mitad. Solo necesitas la parte más ancha, así que deshazte del cuello del globo.
3. Estira lo que queda del globo sobre la boca de un tarro de cristal vacío y asegúralo con una goma.
4. Coloca una pajita (para sorber líquidos) sobre el globo, en el centro, y sujétala con una tira de papel celo dejando un pulgar desde su extremo.
5. Fija en la pared una hoja de papel y coloca tu barómetro casero delante de él. Con un lápiz, marca en el papel la altura a la que está la parte superior de la pajita.
6. Ahora ya puedes realizar predicciones meteorológicas. Cuando el tiempo va a cambiar, se registran variaciones en la presión atmosférica. Si va a hacer sol, las altas presiones «empujarán» el globo hacia abajo y la pajita se elevará. Si las bajas presiones hacen que el globo suba y la pajita se inclina hacia abajo, es que va a llover. Las diferentes marcas que hagas en el papel indicarán los cambios de la presión atmosférica de día en día.

Cómo hacer un «cabeza de huevo»

MODO DE HACERLO:

1. Primero, tienes que vaciar un huevo sin romper la cáscara. Ponlo en una huevera. Con una aguja, hazle un agujero en la parte de arriba, y luego otro en la parte de abajo. Tendrás que agrandar poco a poco este segundo agujero girando varias veces la aguja.
2. A continuación, has de introducir la aguja en el agujero mayor. Sacude el huevo con fuerza para que la yema y la clara se rompan. Saca la aguja y sopla suavemente por el agujero pequeño para que el contenido del huevo salga por el mayor y caiga en una taza.
3. Ahora, hay que limpiar el interior del huevo. Hazlo sumergiéndolo en un tazón con agua caliente y detergente. Deja que se llene de agua caliente y se vacíe por el agujero más grande.
4. Ya con la cáscara vacía y limpia, puedes empezar a darle vida a tu amigo oval. Coge otra vez la aguja y haz dos agujeros más grandes a los dos lados del huevo, donde quieras que vayan los brazos. Coge un desatascador de pipas y atraviesa con cuidado la cáscara por uno de los agujeros hasta que salga por el otro.
5. Hazle el pelo con hebras de lana. Cubre con ellas el agujero superior.
6. Para hacerle una base, corta un extremo del cartón de un rollo de papel higiénico, unos dos centímetros y medio, píntalo, por ejemplo, de negro y pégalo sobre un círculo de cartón del mismo color. Coloca el huevo encima y dibújale la cara con un rotulador o pincel.

Cómo hacer el perrito

Se trata de algo que puedes hacer con un yoyó, no de hacer teatro. Es preferible intentarlo sobre un suelo de madera o de baldosa.

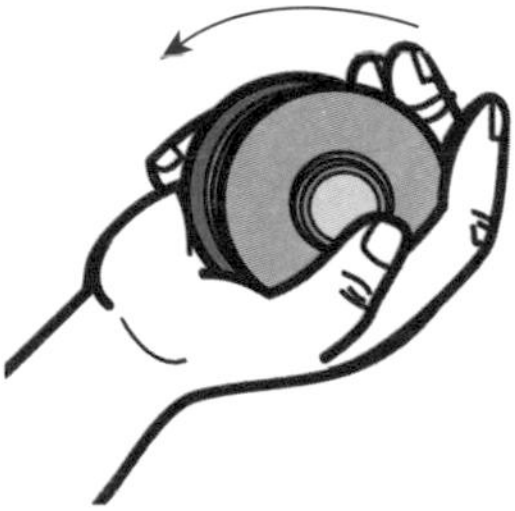

1. Sostén el yoyó con la palma de la mano hacia arriba. Introduce el dedo corazón por la lazada. Fíjate en el dibujo superior, la cuerda ha de continuar su recorrido desde el dedo corazón hacia la dirección que indica de la flecha.

2. Flexiona el brazo del todo y luego estíralo hasta que tu mano quede más o menos a la altura de la cintura. Entonces, mueve la muñeca y suelta el yoyó hacia delante y hacia abajo. Vuelve la palma de la mano hacia abajo y baja el brazo al tiempo que cae el yoyó. Cuando este llegue al suelo deja de bajar el brazo y da un suave tirón de la cuerda hacia arriba. El yoyó subirá por la cuerda hasta tu mano.

3. Repite los pasos 1 y 2, pero, en esta ocasión, cuando el yoyó llegue al suelo, deja que lo toque. Entonces rodará alejándose de ti. Habrás conseguido, «hacer el perrito».

Cómo presumir de una fuerza sobrehumana

Impresiona a tus amigas haciéndoles creer que tienes superpoderes. Demuéstraselo con este truco.

1. Sostén un paraguas con las dos manos. Colócatelo a la altura de los hombros y a unos 25 centímetros de distancia de tu cuerpo. Mantén todo el tiempo los brazos doblados casi en ángulo recto.
2. Dile a una de tus amiga que agarre el paraguas por los extremos. Asegúrate de que sus manos quedan más cerca de los extremos que las tuyas.
3. Pídele que intente moverte empujando con todas sus fuerzas con el paraguas. Mientras ella empuja, tú alza un poco el paraguas para mantener la posición. De ese modo, la presión que ejerce se desviará hacia arriba en lugar de recaer sobre tu cuerpo y tu amiga será incapaz de moverte.
4. Para que el truco sea todavía más impresionante, puedes pedir a alguien más que se sume colocándose detrás y empujando también. Seguro que puedes con las dos.

Cómo fabricar un tambor

Uno de los instrumentos más sencillos (y más ruidosos) que puedes fabricar reciclando trastos que encuentres por casa es un tambor.

MODO DE HACERLO:

1. Busca una lata de aluminio vacía. Las de café suelen tener el tamaño adecuado.
2. Consigue una hoja de papel de la misma longitud que la lata y con el ancho suficiente para envolverla completamente. Adorna uno de los márgenes con pintura, purpurina, rotuladores..., da rienda suelta a tu imaginación.
3. Adhiere el papel a la lata usando pegamento o celo.
4. Coloca la lata encima de una lámina de papel parafinado y dibuja un círculo a su alrededor como de unos dos centímetros y medio más que el diámetro de la lata. Recórtalo. Ahora, recorta cinco círculos más, exactamente iguales. Cubre el primer círculo con una capa fina de pegamento, coloca otro encima y repite esto con los demás hasta que estén pegados los seis. Ya tienes la «piel» del tambor. Deja secar el pegamento toda la noche.
5. Coloca el círculo (que ha resultado de pegar todos) sobre la boca de la lata y fíjalo con una goma.
6. Para fabricar los palillos con los que golpear el tambor podéis usar lápices y corcho. No tienes más que clavar las puntas afiladas de los lápices en trozos de corcho.

UN TRUCO: usando botes y tarros de diferentes tamaños y formas conseguirás distintos sonidos, así que te puedes hacer tu propia batería con cuantos recipientes quieras.

Cómo hacer flotar a alguien

Parecerá que es un milagro. ¿Por qué o cómo funciona este truco?..., no lo sabemos, pero funciona. Reúne a cinco amigas dispuestas a tomar parte en el experimento. Pide la colaboración de una voluntaria y dile que se siente en una silla.

1. Las demás deberán juntar las palmas de sus manos; cada una, las suyas.
2. Que una de ellas sitúe sus manos (con las palmas juntas) debajo de la rodilla izquierda de quien está sentada; y que otra haga lo mismo debajo de la rodilla derecha. La tercera le colocará las manos debajo de la axila derecha, y la cuarta, de la izquierda.
3. Anima a tus amigas a que intenten levantarla de la silla. Lo más probable es que no lo consigan.

4. A continuación, ordena que pongan sus manos unas encima de otras sobre la cabeza de la protagonista y que presionen hacia abajo (sin hacer daño). Que continúen así mientras tú cuentas hasta diez, y al llegar al 10 que vuelvan a sus posiciones y la intenten levantar de nuevo.

¡Funcionará!

Cómo resolver un sudoku

El sudoku es un pasatiempo numérico. Aunque se dice que fue creado en Estados Unidos, se hizo muy popular en Japón. Se resuelve rellenando una cuadrícula de 81 casillas o celdas con los números que faltan. Cada fila contiene nueve casillas; cada columna, otras nueve; y cada caja o región (un cuadrado que contiene tres filas y tres columnas) otras nueve. Cuando se haya completado el rompecabezas, cada fila, columna y caja debe contener nueve números (del 1 al 9) sin que se repita ninguno.

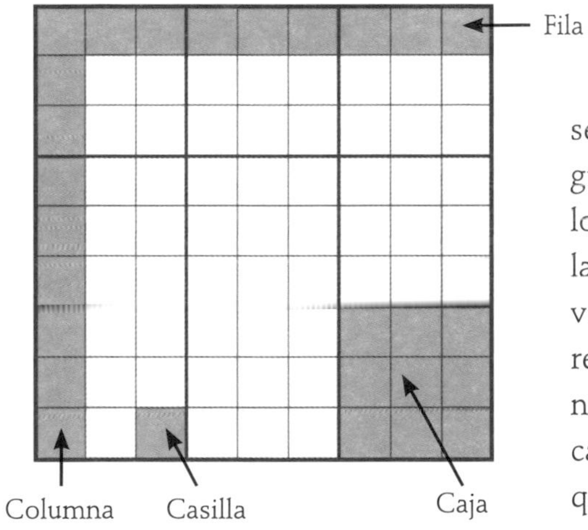

Un sudoku se presenta siempre con algunos números ya colocados en algunas de las casillas. Tu objetivo, si es que aceptas el reto, es averiguar los números que van en cada una de las celdas que quedan vacías.

Aquí tienes parte de un sudoku. Adivina qué número falta en la primera fila de la cuadrícula y en la región de la derecha.

8	4	6	2		1	3	5	7
						2		1
						6	4	8

Verás que la primera fila contiene los números 1, 2, 3, 4, 5, 6, 7, y 8. Por lo tanto, el único número que falta es el 9. Lo mismo ocurre en la región de la derecha.

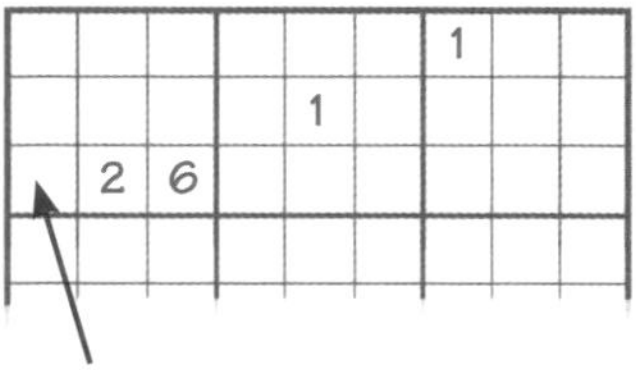

Aquí va el 1.

Solución de fila en fila:

En este ejemplo, las cajas del centro y de la derecha, ya contienen un 1. Tienes que adivinar dónde va el 1 en la de la izquierda.

Como las dos primeras filas ya tienen un 1, ninguna otra celda de esas dos filas puede contener otro 1. Nos queda, pues, la tercera fila. En la tercera fila de la caja izquierda solo hay una celda vacía, así que el 1 que falta no tiene más remedio que ir allí.

Solución de columna en columna:

Las cajas del centro y de la derecha, ya contienen un 1. Para saber dónde hay que poner el 1 en la caja de la izquierda tienes que fijarte en la primera fila.

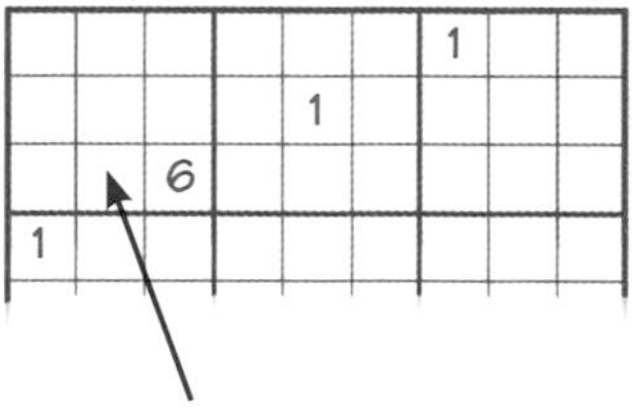

Aquí va el 1.

Ya contiene un 1, de modo que ningún cuadro de la primera fila puede llevar un 1.

La segunda fila también tiene un 1, por lo que ningún otro cuadro de esa fila puede contener un 1. El 1 tiene que ir, pues, en la tercera fila, pero esta tercera fila de la caja izquierda tiene dos casillas vacías. El número 1 puede ir en cualquiera de las dos.

Si miras ahora la primera columna, verás que ya contiene un 1. Ya sabes que el 1 no puede ir en la primera columna de la fila 3. El único cuadro que queda libre para el 1 está en la segunda columna de la fila 3. (Lo señalan una flecha y las palabras «Aquí va el 1»).

Solución de caja en caja:

¿En la caja de la derecha dónde podemos colocar el 1?

Fíjate bien. Tienes que estudiar las columnas y las filas de la cuadrícula para saber en qué casillas no puede ir el 1. Así lo resolverás.

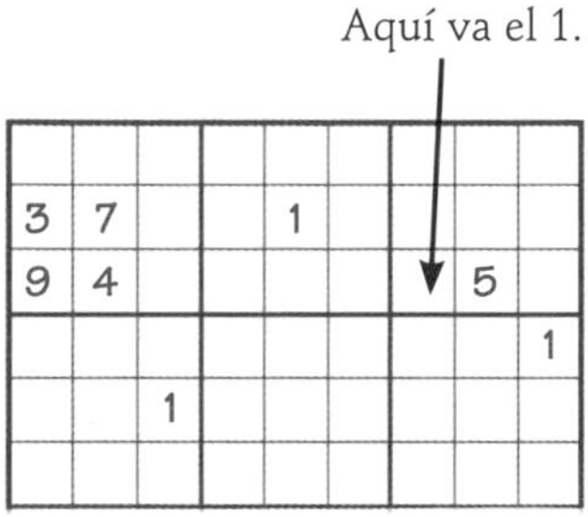

Para ello, empieza echando un vistazo a la caja de la izquierda. Aquí el 1 no puede estar ni en la segunda fila ni en la tercera columna. Eso te deja dos posibles celdas en la primera fila. Ya sabes que el 1 de la caja izquierda tiene que ir en la primera fila.

Eso significa que el número 1 no puede aparecer en la primera fila de la caja de la derecha. Descarta todas estas casillas, y también la novena columna, por el 1 que aparece en la cuarta fila.

Ahora ya sabes que solo hay una casilla donde puede ir el 1 en la caja derecha. (En el dibujo, la señalan la flecha y las palabras «Aquí va el 1»).

Ahora sabes cómo resolver un sudoku. Consiste tanto en adivinar dónde ha de ir un número como dónde no puede ir.

Utiliza tus nuevos conocimientos y habilidades para completar los dos sudokus que tienes a continuación.

Intenta resolver primero este, que es fácil.

8	9	2	5		3	6	7	4
1	5	3	6	4	7	9		8
4		6	9	2	8	1	3	5
5	3	4		6				2
	6	1		7		5	8	
7				5		4	6	9
3	8	7	1	9	5	2		6
2		9	7	8	6	3	5	1
6	1	5	2		4	8	9	7

Esta es la solución al sudoku de arriba.

8	9	2	5	1	3	6	7	4
1	5	3	6	4	7	9	2	8
4	7	6	9	2	8	1	3	5
5	3	4	8	6	9	7	1	2
9	6	1	4	7	2	5	8	3
7	2	8	3	5	1	4	6	9
3	8	7	1	9	5	2	4	6
2	4	9	7	8	6	3	5	1
6	1	5	2	3	4	8	9	7

Ahora, atrévete con este, que es más difícil.

6			5	1	3	4	7	8
1	5	4	8	6	7	3		2
3			9		2	6	5	1
2	4	1	7					
8			1	2	4			9
					8	1	2	4
5	1	3	6		9			7
4		8	2	3	5	9	1	6
9	2	6	4	7	1			3

Esta es la solución al sudoku de arriba.

6	9	2	5	1	3	4	7	8
1	5	4	8	6	7	3	9	2
3	8	7	9	4	2	6	5	1
2	4	1	7	9	6	8	3	5
8	3	5	1	2	4	7	6	9
7	6	9	3	5	8	1	2	4
5	1	3	6	8	9	2	4	7
4	7	8	2	3	5	9	1	6
9	2	6	4	7	1	5	8	3

Cómo seguir a tu amiga sin que se dé cuenta

La clave para seguir a tu amiga sin que te descubra es moverte con discreción entre la gente, si no, ella, que sabe muy bien cómo eres, te reconocerá rápidamente. No lleves ropa de colores llamativos —viste de gris o de marrón—, y nada que sea estampado o tenga marcas. Ponte algo distinto a lo que suelas llevar normalmente.

- Siempre que te sea posible camina por el lado opuesto de la calle. Coordina tus pasos con los de ella de modo que avancéis al mismo ritmo.
- Muévete con naturalidad. No mantengas la mirada sobre ella, limítate a mirarla solo de vez en cuando. Si por casualidad mira en tu dirección, finge estar ocupada en alguna cosa: haz que estás hablando por el móvil o que andas buscando un portal.
- Si tu amiga se detiene por alguna razón, no te pares tú también. Sigue andando un poco, después detente y haz como si te ataras los cordones de las zapatillas, o como si estuvieras buscando algo en el bolso, hasta que ella eche otra vez a andar.
- Si entra en un edificio, busca un escondite desde donde puedas verla cuando reaparezca.
- Si crees que te ha visto, no te pongas nerviosa ni hagas movimientos extraños, te descubrirá. Para resolver la situación consulta tu reloj o tu teléfono móvil y di en voz alta «¡Ay, no, que llego tarde!», y pasa corriendo por delante de ella. No huyas en dirección contraria, eso sí que levantaría sospechas.

Cómo hacer magia

Este truco requiere algo de preparación previa, pero es muy fácil y dejará a tu público alucinado. Primero, les mostrarás una moneda junto a un vaso de plástico transparente. Luego, cubrirás el vaso con un pañuelo y, por último, cuando quites el pañuelo, la moneda habrá desaparecido.

MODO DE HACERLO:

1. Coge dos láminas de cartón. Coloca el vaso, boca abajo, sobre una de ellas, y dibuja un círculo alrededor. Recórtalo.
2. Aplica pegamento al borde del vaso y adhiérele el círculo de cartón. Espera a que se seque el pegamento. Si es necesario, recorta los bordes del cartón para que se ajuste bien.
3. Ahora, coloca el vaso boca abajo, encima de la segunda lámina de cartón.
4. Pide una moneda al público. Ponla al lado del vaso y anuncia que vas a hacer que desaparezca. Cúbrelo con un pañuelo y muévelo hasta ponerlo encima de la moneda. Pronuncia una fórmula mágica, cuanto más incomprensible mejor, y retira el pañuelo. El cartón que pegaste al vaso cubrirá la moneda y parecerá que esta se ha evaporado.
5. Vuelve a cubrir el vaso con el pañuelo y apártalo de la moneda. La moneda aparecerá de nuevo.

Cómo repasar para un examen

Estudia siempre en un sitio tranquilo y libre de distracciones. Hay quienes se concentran mejor con música de fondo. La televisión, sin embargo, mantenla apagada.

- No dejes nada para el último minuto. Bastante tiempo antes de los exámenes, imponte un horario y cúmplelo. Haz una lista de las asignaturas de las que vas a examinarte y divide entre ellas el tiempo de que dispongas. Cuenta con los descansos para comer, salir un rato a tomar el aire y hacer ejercicio.
- No saltes de una asignatura a otra durante un mismo período de repaso. Eso no hará más que confundirte. Haz un esquema a partir de los apuntes que tomaste en clase, pero no te limites a copiarlos. Puedes resumirlos y marcar las palabras claves con colores diferentes.
- Escribe la información que necesites aprenderte de memoria, como fechas, nombres..., en tarjetas que puedas llevar encima. Léelas cada vez que dispongas de unos minutos.
- Toma nota de aquello que no entiendas y pide ayuda a tu profesor.
- Al final de cada sesión de estudio pídeles a tus amigas o a tus padres que te pregunten los puntos principales.
- Y no tengas miedo, que no se acaba el mundo si te suspenden. Sigue esforzándote, lo terminarás dominando.

MUY IMPORTANTE: esfuérzate al máximo, así siempre serás la mejor.

Cómo crear una ilusión óptica

Esta manualidad de papiroflexia se basa en una ilusión óptica: dos imágenes distintas en rápida sucesión se perciben como una sola imagen. Busca una cartulina de unos 5 x 5 cm y sigue los pasos siguientes:

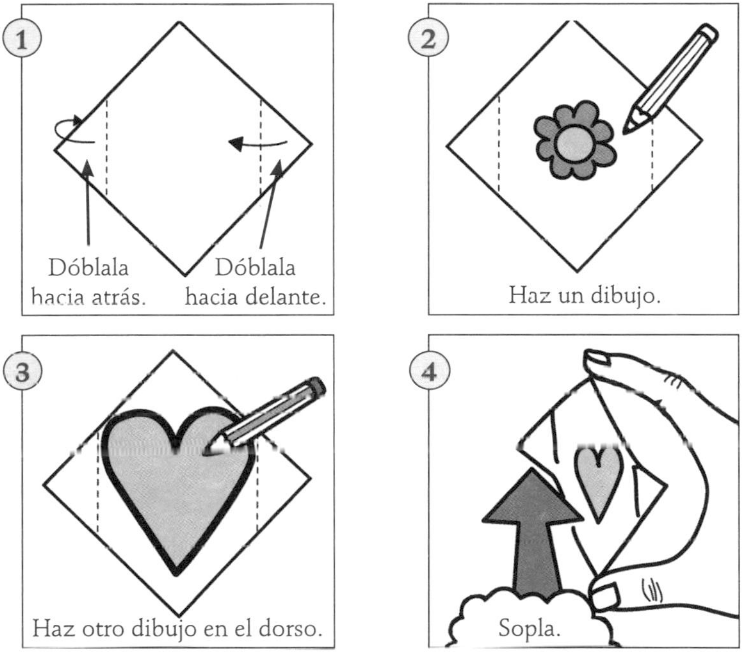

Mantén la cartulina entre el pulgar y el dedo índice, como se ve en el paso 4. Sopla fuerte sobre una de las esquinas dobladas. La cartulina girará y verás las dos imágenes como si fueran una sola.

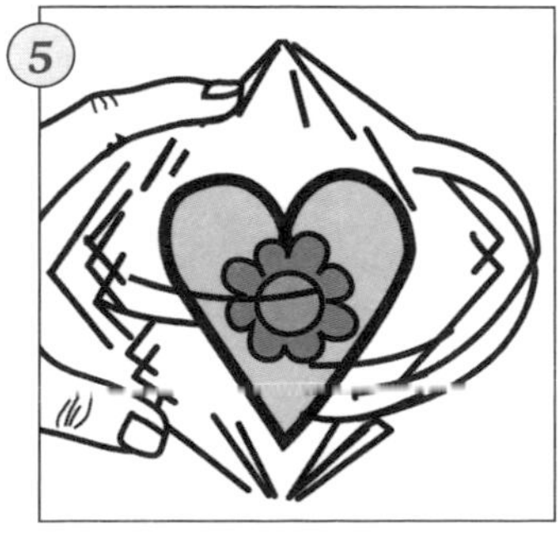

Cómo montar los mejores números de baile

Se tarda algo en memorizar toda la coreografía de un número de baile, así que ensaya el tiempo que necesites antes de tu espectáculo.

- Escoge una canción que te guste muchísimo y escribe toda la letra.
- Divide el texto en párrafos de cuatro líneas. Monta por partes la coreografía. Te puedes inspirar en algunos vídeos musicales.
- Empieza por los movimientos de los pies. Luego, por los brazos y la cabeza.
- Cada movimiento debe unirse al siguiente de una forma que resulte natural, así que piensa en la posición de tu cuerpo al final de un movimiento y en cómo iniciar el siguiente.
- Si vas a bailar con un grupo de amigas, asegúrate de que todas son capaces de ejecutar los movimientos. Es preferible que sean fáciles a que salgan mal.
- Haced siempre ejercicios de calentamiento antes de los ensayos. Y estirad los músculos cuando hayáis terminado.

Cómo crear una obra maestra con tizas mojadas

Las tizas mojadas producen colores muy brillantes y se pueden usar sobre una gran variedad de superficies. Si tu casa tiene patio, ¿por qué no preguntar si te dejan pintar en el suelo y te conviertes en pintor callejero? Si después se puede borrar fácilmente, claro.

Algunos artistas ya lo han intentado, han pintado sus obras en el suelo: increíbles imágenes en tres dimensiones, por ejemplo, agujeros que parecen tan auténticos que llegas a pensar que te puedes caer dentro.

MODO DE HACERLO:

1. Elige los colores que quieras usar y mete las tizas en un vaso.
2. Llena el vaso con agua para que quede sumergida la tercera parte del largo de las tizas. (Si disuelves antes una cucharadita de azúcar en el agua, los colores brillarán más).
3. Deja las tizas sumergidas unos diez minutos. No las dejes más; se podrían deshacer.
4. Sácalas del vaso y colócalas sobre una hoja de papel de periódico.
5. Ahora lo único que tienes que hacer es empezar a dibujar con los extremos mojados de las tizas. Prueba a mezclar, con los dedos, colores diferentes, obtendrás resultados muy interesantes.
6. Si has dibujado sobre papel, pon a secar tu obra durante algunos minutos en la cuerda de tender la ropa.

Cómo hacer tu propio brillo de labios

MODO DE HACERLO:

1. En un horno de microondas y utilizando un recipiente adecuado, calienta a baja potencia un poco de vaselina.
2. Pon una cucharadita de agua caliente en un cuenco, agrega un poco de bebida en polvo con sabor a fresa o frambuesa y remueve hasta que se mezcle bien.
3. Añade a la vaselina el agua coloreada, gota a gota, hasta que consigas el color que quieres.
4. Echa la mezcla en un tarro pequeño y limpio y deja que se solidifique de nuevo.

Cómo levantar un castillo de arena monumental

Busca el mejor emplazamiento para tu castillo. Para construirlo, necesitarás arena húmeda, pero no elijas un lugar demasiado cercano a la orilla, correría peligro de ser derribado por las olas. Prepara la superficie: allana el terreno golpeando la arena con una pala.

1. Construye el cuerpo del castillo con cubos de arena. Al llenar cada cubo, asegúrate de que la arena quede bien compacta. Golpea con firmeza los lados y muévelo un poco para eliminar cualquier *bolsa de aire.* Cuando la arena llegue al borde del cubo, prénsala con firmeza.

2. Construye sus altas torres sobre la estructura, moldeando arena húmeda en forma de tortas del grosor de un pulgar, para después colocarlas unas encima de otras.
3. Construye la muralla alrededor del castillo con arena húmeda. Asegúrate de que la escurres bien. Levántala tan alta como quieras. Procura que sea más estrecha por arriba para que no se derrumbe.
4. Ahueca la muralla haciendo un túnel en la parte inferior y con un palito o incluso con un cuchillo de plástico abre tantos arcos como desees.
5. Como toque final, cava un foso alrededor del muro y llénalo de agua.

Cómo rasguear la guitarra

Si dominas el arte de rasguear la guitarra, convencerás al mundo de que eres un genio musical aunque no sepas tocar ni una sola canción. Coge la guitarra, márcate un par de rasgueos impresionantes, vuelve a dejarla en su sitio y di algo así como: «Francamente, no tengo ganas de tocar ahora» o «Es una pena que no esté afinada».

- Adopta la postura propia de una auténtica reina del *rock*. Si no eres zurda, sostén la guitarra apoyándola en la rodilla derecha y con el mástil (la parte larga) apuntando a la izquierda.
- Las guitarras tienen a lo largo del mástil unos resaltes que se llaman «trastes». Estas líneas que sobresalen te indican donde debes poner los dedos para tocar los diferentes acordes. Para tocar la nota *La,* tendrás que presionar algunas cuerdas entre el primero y el segundo traste, casi en el extremo del mástil.
- Necesitas saber que la cuerda que está más cerca de tu cabeza es la «cuerda más baja», y la que está más cerca de tus pies, es la «cuerda más alta».
- Fíjate en el diagrama y coloca el dedo anular de la mano izquierda encima de la cuerda que sigue a la «más alta», luego el dedo corazón en la siguiente cuerda y el índice a continuación.

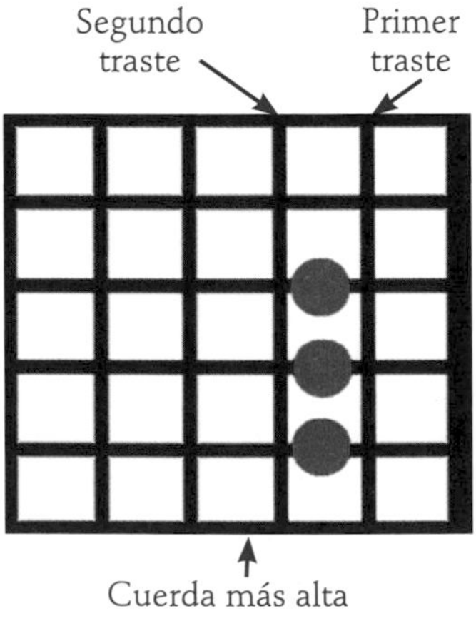

- Deja la mano derecha relajada cubriendo el agujero que hay en el centro del cuerpo de la guitarra. Acaricia las cuerdas bajando el pulgar sobre ellas. Haz una pausa y repite el movimiento un par de veces con cierto ritmo. Si eres zurda, coloca la guitarra en la rodilla izquierda, apunta con su mástil a tu derecha, presiona las cuerdas con la mano derecha y rasguea con la izquierda.

Cómo evitar el «jet lag»

Si te vas de vacaciones y vas a viajar en avión y hay una gran diferencia horaria entre el lugar de destino y el lugar donde vives, prepárate tres días antes.

- PRIMER DÍA. Toma un buen desayuno y un buen almuerzo ricos en proteínas: jamón, huevos, salchichas o un filete, por ejemplo. Y por la noche, una cena rica en hidratos de carbono: pasta, patatas o arroz.
- SEGUNDO DÍA. Toma solo comidas muy ligeras.
- TERCER DÍA. Ese día come todo lo que te dé la gana.
- DÍA DE LA SALIDA. En cuanto subas al avión, ajusta tu reloj a la hora que es en tu punto de destino. Luego asegúrate de que tomas las comidas a las horas normales según tu reloj. Bebe mucha agua durante el vuelo.
- Si es de día en tu punto de destino, no duermas durante el vuelo. En cambio, si es de noche, sí. Usa tapones o auriculares para los oídos, y cúbrete los ojos.
- Si llegas a tu destino en pleno día, no te acuestes. Date una ducha, sal a la calle y haz algo. Por la noche, cena y vete a la cama a tu hora normal.

Cómo cruzar las cataratas del Niágara sobre una cuerda floja

El Gran Blondin, equilibrista y acróbata francés, fue considerado el hombre más temerario que jamás cruzó las cataratas del Niágara. En su recorrido sobre el alambre, no se limitó a caminar, también montó en bicicleta, realizó un salto mortal hacia atrás, empujó una carretilla, llevó en brazos a su representante y se hizo una tortilla a mitad de camino.

Si quieres conseguir el título de «La más temeraria»:

- Busca un cordelero de confianza que fije tu cuerda a los dos extremos de las cataratas. Tiene que quedar muy, muy tensa. Después redacta tu testamento (por si el asunto termina mal), y quítate los calcetines y los zapatos. Ponte de pie en un extremo, respira hondo y coloca el pie derecho en diagonal sobre la cuerda con los dedos hacia fuera, hacia la derecha. La cuerda empezará a temblequear, en cualquier caso, tú no te preocupes.
- Con el pie izquierdo en la cuerda, flexiona la rodilla derecha y presiona la cuerda con tu pie derecho, descargando sobre él la mayor parte de tu peso. A continuación, levanta ligeramente del suelo el pie izquierdo, ayudándote de los brazos para mantener el equilibrio. Sigue en esa posición hasta que la cuerda deje de temblequear, luego colócalo sobre la cuerda, delante del derecho, apuntando hacia la izquierda, y camina.
- No dejes que nada te haga caer, como pájaros enormes o helicópteros llenos de turistas, y prepárate para cruzar. Cuanto más deprisa andes, más fácil te será mantener el equilibrio. Así que mira al frente… ¡y adelante!

Cómo comer con palillos

1. Coloca el palillo de abajo entre el pulgar y el dedo corazón. Debe reposar en el espacio que queda entre el pulgar y el índice, como se ve en el dibujo. Mantén separado el dedo índice.

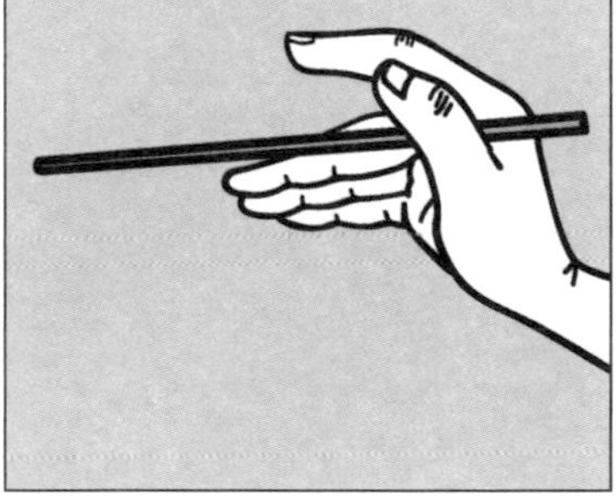

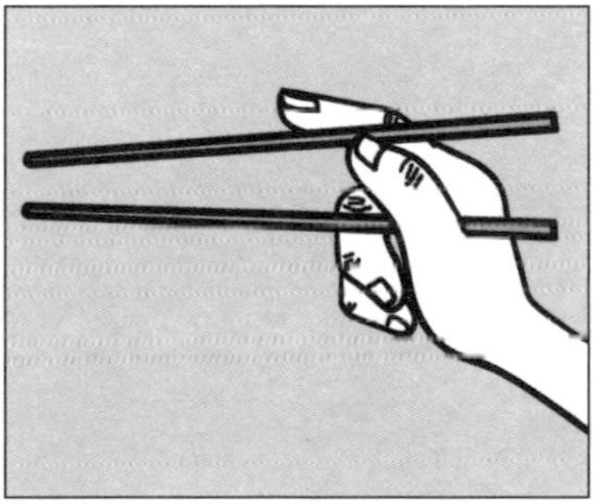

2. Para colocar el palillo de arriba, tienes que sujetarlo entre el pulgar y el índice, de manera que el extremo descanse sobre la punta del pulgar, y la punta del índice, sobre el palillo.

3. El palillo de abajo debe permanecer siempre quieto. Prueba a mover el de arriba sobre el de abajo. Cuando le hayas cogido el tranquillo, practica con cosas pequeñas y cuando te sientas preparada, atrévete a comer con ellos.

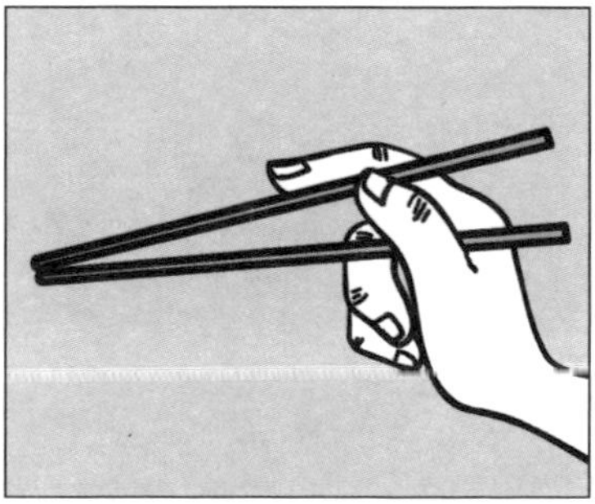

Cómo llegar a ser superflexible

Si todos los días realizas los estiramientos que se describen a continuación, alcanzarás el grado de flexibilidad que toda bailarina quisiera tener. Es solo cuestión de tiempo, pero no te precipites, podrías hacerte daño.

- Antes de empezar, haz ejercicios de calentamiento, como saltar a la cuerda o correr durante cinco minutos.
- Con las piernas y la espalda derechas, inclínate desde la cintura muy lentamente y con control e intenta tocarte los pies. Mantén esa posición medio minuto.
- Después, siéntate en el suelo con las piernas rectas delante de ti y las rodillas juntas. Adelanta los brazos, doblándote por la cintura, como si te deslizaras sobre una mesa, e intenta tocarte los pies. Mantén la espalda recta y trata de acercar el pecho a las piernas todo lo que puedas. Aguanta así medio minuto.
- Ahora, arrodíllate y coloca las manos en el suelo a cada lado del cuerpo para que te sirvan de apoyo. Estira una pierna hacia atrás y relájate. Siente el peso de tu cuerpo. Mantén la postura durante un minuto y luego cambia de pierna.
- A medida que vayas realizando día a día los ejercicios, comprobarás que tu cuerpo se irá haciendo más flexible. Pero no te pases. Si sientes molestias, déjalo inmediatamente. Unas personas tienen más flexibilidad que otras, así que no compares tus resultados con los de tus amigas.

UN CONSEJO: lleva siempre ropa cómoda para realizar tus ejercicios.

Cómo ser la mejor en idiomas

Convence a todo el mundo de que eres una lingüista con mucho talento saludando a la gente en su propio idioma. Sonríe, asiente con la cabeza como si entendieras todo lo que te dicen y, luego, despídete con mucho estilo.

Aprende de memoria cómo se dice «hola» y «adiós» en diez idiomas diferentes:

ESPAÑOL	*Hola*	*Adiós*
INGLÉS	*Hello*	*Goodbye*
ITALIANO	*Ciao*	*Arrivederci*
RUSO	*Privet*	*Poka*
FRANCÉS	*Salut*	*Au revoir*
ALEMÁN	*Hallo*	*Auf Wiedersehen*
GRIEGO	*Giásou*	*Andio sas*
JAPONÉS	*Moshi Moshi*	*Ja, mata*
PORTUGUÉS	*Ola*	*Adeus*
INDONESIO	*Hai*	*Selamat jalon*

Cómo sobrevivir en el desierto

Lo primero que tienes que hacer cuando te encuentres sola en el desierto es buscar un lugar donde puedas protegerte del sol. Refúgiate bajo la sombra de un matorral o una roca. Mantente resguardada de día y viaja de noche, cuando hace más fresco.

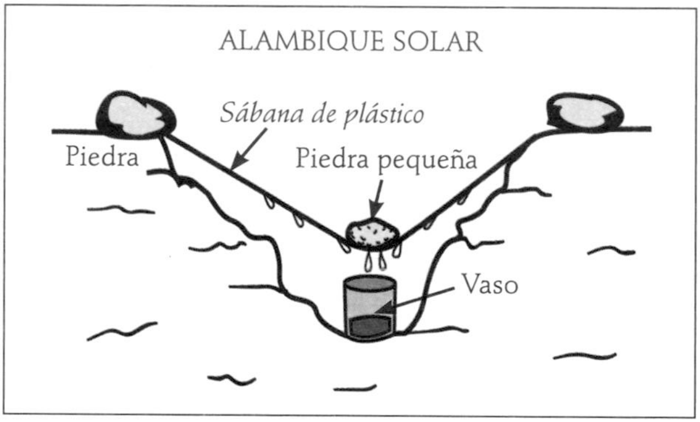

El mayor problema que vas a tener es la falta de agua. Para asegurarte una fuente de agua, fabrica un *alambique solar*.

- Corta una bolsa de plástico por la costura de uno de los lados y del fondo. Despliégala y obtendrás una *sábana de plástico*. Cava un hoyo de poca profundidad. En el hoyo, sobre la arena, por debajo del nivel del suelo, coloca un vaso hacia arriba. Cubre el hoyo con la sábana de plástico y fíjala con piedras en los dos extremos. Coloca una piedra más pequeña en el centro del plástico, de forma que quede justo encima del vaso. El vapor de agua se condensará bajo el plástico y las gotas que se produzcan caerán en el vaso.
- Tu *alambique solar* no te proporcionará mucha agua, así que debes conservar la hidratación corporal. A través

del sudor perdemos una considerable cantidad de agua. Así que procura que tus movimientos sean lentos y regulares para sudar lo menos posible. Y no llores, ni hables, ni jadees en las horas de más calor. Mantén la boca cerrada y respira por la nariz.

- Tendrás la tentación de quitarte la ropa. No lo hagas. Cúbrete el cuerpo para proteger tu piel del sol y de los vientos cálidos. Si llevas sombrero, no te lo quites. Te protegerá contra una insolación. A falta de un sombrero, ponte un trozo de tela en la cabeza. Y asegúrate de que te cubre también la nuca.
- Estate atenta a cualquier síntoma que indique que el calor te está afectando en exceso. Empezarás a sentirte muy cansada y desorientada. Comprueba el color de tu orina. Si es oscuro, es que estás deshidratada. Bebe unos traguitos de agua, un poquito cada hora.
- La gran extensión de tierra desierta hará que confundas las distancias. Todo estará tres veces más lejos de lo que crees.
- Las tormentas de arena son frecuentes en el desierto. Si te *pilla* una, no pierdas la calma. Busca refugio. Cúbrete la nariz y la boca con una tela y túmbate de espaldas al viento hasta que pase.

Cómo hacer una trenza francesa

Las trenzas francesas sientan muy bien pero son difíciles de hacer si nadie te echa una mano. Por eso es mejor que antes pruebes con alguna de tus amigas. Para obtener un buen resultado, el pelo debe llegar, al menos, hasta los hombros.

1. Cepíllalo para desenredarlo bien y después separa un mechón desde la raíz y divídelo en tres iguales.

2. Cruza el mechón izquierdo sobre el del medio y luego haz lo mismo con el derecho, como si estuvieras haciendo una trenza normal.

3. Ahora, coge del resto del pelo que queda a la izquierda otro mechón. Júntalo con el mechón izquierdo y crúzalo sobre el central como en el paso número 2. Repite la operación con el mechón derecho.

4. Y realiza el mismo proceso hasta que no quede ningún mechón suelto. Asegura el extremo de la trenza con una goma.

Voilà! ¡A lucir una preciosa trenza francesa!

Cómo elaborar una brújula

¿Quieres saber cómo hacer una brújula? Es muy fácil, ¡inténtalo!

MODO DE HACERLO:

1. Coge una hoja de árbol lisa y déjala flotar en la superficie de un vaso lleno de agua.
2. Busca una aguja de coser. Sujetando el ojo de la aguja, desliza la punta hacia abajo por el costado de un imán. Cuando llegues al final del imán, levanta la aguja y sepárala. Luego, pon de nuevo la punta sobre el imán y vuelve a deslizarla (de esta forma te aseguras de que deslizas la punta por el imán en una única dirección).
3. Repítelo al menos cincuenta veces y obtendrás una aguja imantada. Si no tienes un imán, puedes usar una tela de seda para magnetizar la aguja.
4. Coloca con mucho cuidado la aguja encima de la hoja y verás que la hoja empieza a girar. En un momento dado, quedará alineada en la dirección de los polos magnéticos norte y sur, con la punta señalando hacia el norte.

Cómo localizar la Estrella Polar

Durante miles de años, los exploradores y navegantes se han servido de la Estrella Polar para situarse y deducir su dirección y latitud (su posición al sur o al norte del ecuador).

Así es cómo se localiza la Estrella Polar en el cielo nocturno.

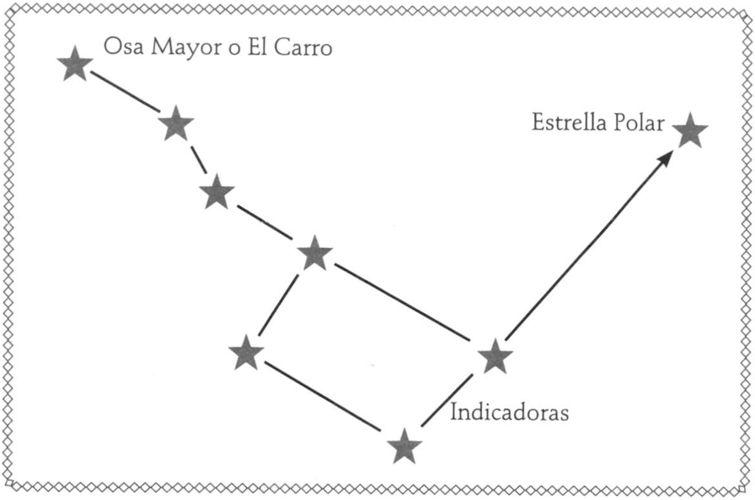

Busca la Osa Mayor, que se conoce también como *El Carro*. Esta constelación tiene forma de sartén. (Recuerda que según el hemisferio en que estés y la época del año que sea, puede estar boca abajo o de lado). Una vez que la tengas identificada, localiza las dos estrellas que forman el lado de la *sartén* más alejado del *mango*. Estas dos estrellas reciben también el nombre de *indicadoras* porque apuntan a la Estrella Polar. Cuando las hayas encontrado, traza una línea imaginaria entre ellas, prolóngala, y te llevará en dirección norte hasta una estrella más grande y brillante. Esa es la Estrella Polar.

Cómo mantener en secreto tu diario

No le digas a nadie que escribes un diario. Si no saben que tienes uno, no lo andarán buscando. Comenta de vez en cuando que tener un diario es una tontería.

- Camufla tu diario cubriéndolo con la sobrecubierta de uno de tus libros. Colócalo en una estantería con los demás.
- Escribe «MI DIARIO» en la portada de un cuaderno viejo, y dentro, unas cuantas frases aburridas, y déjalo a la vista.
- En tu verdadero diario, inventa palabras en clave para referirte a los lugares o a las personas que guarden contigo una relación secreta. Así quien lo encuentre no entenderá nada de lo que hayas escrito. Si es necesario, apúntate las claves, pero no las ocultes en el mismo diario.
- Escribe disparates, como «Ayer vi a una mujer con tres piernas comprándose unos zapatos». Así, quien lo lea no sabrá lo que es verdad y lo que es inventado.

Cómo enviar un mensaje en morse

En el código morse, cada letra del alfabeto es una combinación de puntos y rayas. Los puntos son pulsaciones cortas y las rayas pulsaciones largas.

Hay varias formas de enviar un mensaje en morse. La más fácil es usando una linterna.

¡Anímate a enviar a partir de ahora tus mensajes en código morse!

ALFABETO MORSE

A · —	H · · · ·	O — — —	V · · · —
B — · · ·	I · ·	P · — — ·	W · — —
C — · — ·	J · — — —	Q — — · —	X — · · —
D — · ·	K — · —	R · — ·	Y — · — —
E ·	L · — · ·	S · · ·	Z — — · ·
F · · — ·	M — —	T —	
G — — ·	N — ·	U · · —	

Puedes utilizarlo con alguna de tus amigas. En un cuarto oscuro, transmite tu mensaje encendiendo y apagando una linterna. Enciéndela y apágala muy deprisa para representar un punto, y más despacio para representar una raya, y déjala apagada un rato para marcar el espacio entre letras, y un rato un poco más largo, entre palabras.

Facilítale a tu amiga una copia del alfabeto morse para que pueda descifrar los mensajes que reciba.

Cómo domar un caballo salvaje

Debes conocer exactamente cómo se comportan los caballos y saber interpretar su lenguaje corporal para poder domarlos.

- En la parte interna de las patas delanteras y en la posterior de las traseras, justo encima de las rodillas, los caballos tienen protuberancias ásperas y secas llamadas *espejuelos*. Pela, con mucho cuidado, la capa superior del espejuelo de un caballo domado, y frótatela entre las manos para enmascarar el olor humano. De esta forma, te será más fácil acercarte al caballo salvaje.
- Aproxímate a él por un costado. Los caballos tienen los ojos a los lados de la cabeza, de modo que no ven lo que tienen directamente delante o detrás. Si te siente, pero no te ve, se asustará. No te muevas de forma brusca.

- Ten mucha calma y mucha cautela. Un movimiento brusco o un ruido podrían sobresaltarle. Con suerte, saldrá al galope; sin suerte, podría pisotearte.
- Avanza poco a poco hacia él, hablándole en voz baja. No le mires a los ojos, lo tomaría como una amenaza.
- Cuando te encuentres cerca, detente y gira hacia un lado. El caballo interpretará este gesto como si le estuvieras diciendo «Ven aquí». Sigue acercándote a él en esa posición hasta que puedas tocarlo.
- Extiende la mano, pero con los dedos juntos, no separados, para acariciarle cariñosamente el cuello.
- Sigue haciéndolo hasta que se quede completamente tranquilo. Luego, delicadamente, pero con presteza, colócale el ronzal.

Cómo sobrevivir a una invasión de extraterrestres

Los extraterrestres invaden las grandes ciudades porque es donde pueden causar el mayor desastre. Por eso cuando oigas la noticia de que ya están aquí, lo mejor es que huyas al campo.

- Como las naves espaciales son muy grandes y fáciles de ver, tienes ventaja. Si en pleno día, de pronto, se oscurece el sol y no se ha anunciado ningún eclipse, ponte inmediatamente en acción y alerta a las autoridades.
- Almacena comida y agua suficiente para manteneros con vida tu familia y tú durante varias semanas y atrincherate en tu casa. Los extraterrestres son seres de inteligencia superior, pero a veces algo tan sencillo como

manejar un picaporte o subir y bajar unas escaleras les causa grandes problemas. Escóndete en la habitación más grande que tenga tu casa, y en el piso de arriba. También les desconcierta ver su propio reflejo: pon en el cuarto todos los espejos que encuentres por la casa.

- Sus naves espaciales tienen efectos catastróficos sobre los circuitos eléctricos, así que no creas que vas a poder escapar fácilmente en el coche de tus padres. Asegúrate de que las ruedas de tu bici estén bien hinchadas, por si acaso.
- A veces los extraterrestres se disfrazan de humanos, aunque, afortunadamente, lo hacen fatal. Si te encuentras a alguien más bajito de lo normal, con los ojos rojos y una voz rarísima como de ultratumba, echa a correr lo más deprisa que puedas.
- Los extraterrestres, de cualquier raza, reaccionan muy mal a las cosas que, aunque comunes para nosotros, les son extrañas, como el agua o la gripe. Si te encuentras cara a cara con un ser de otro planeta, dispara contra él con una pistola de agua o estornúdale encima.

Cómo tejer con los dedos

Para tejer con los dedos, puedes usar la misma técnica que para hacer punto con agujas. Prueba primero con los dedos y cuando tengas suficiente práctica atrévete con las agujas. Podrás hacerte todas las diademas para el pelo que quieras.

1. Elige el ovillo de lana del color que más te guste. Fíjate en el dibujo. Enrolla la hebra alrededor del dedo índice de tu mano izquierda (o de la derecha si eres zurda), pero sin apretar, y haz un nudo. El extremo suelto debe colgar por el dorso de la mano.

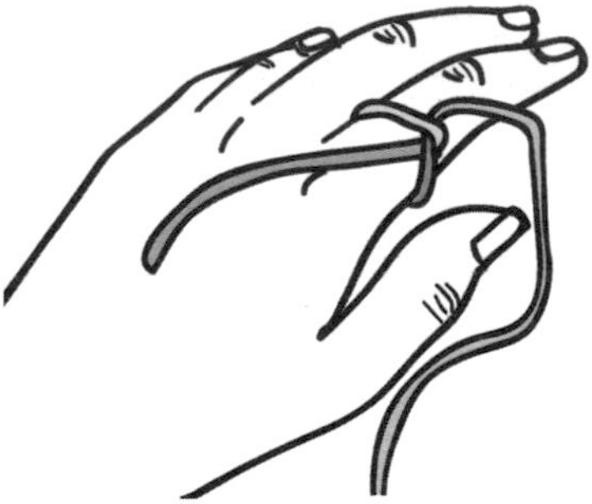

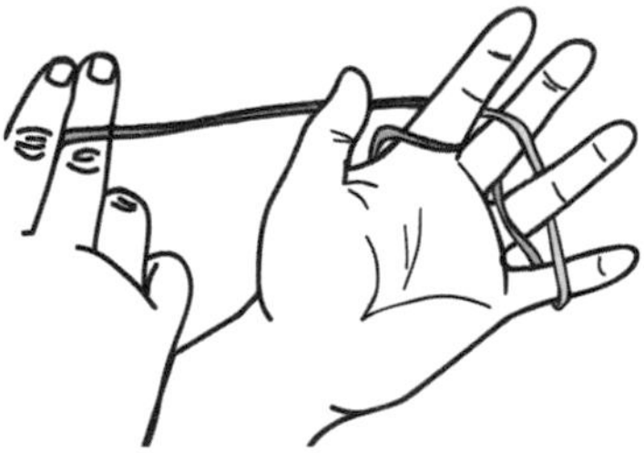

2. Pasa el otro extremo de la lana (el que está unido al ovillo) primero por detrás del dedo corazón, después, por delante del anular, y finalmente por detrás del meñique. Hazlo sin tensar las lazadas.

3. Ahora, vuelve a pasar la lana en sentido contrario: primero por delante del meñique, después por detrás del anular..., y así sucesivamente. Repite los pasos 2 y 3 para tener dos hebras de lana en cada dedo. La segunda hebra de lana deberá quedar por encima de la primera.

4. Empezando por el meñique, monta la lazada de abajo sobre la de arriba. Retírala del dedo y déjala caer sobre el dorso de la mano. Repite esto con la lazada del dedo anular y sigue así hasta que a los cuatro dedos no les quede más que una hebra.

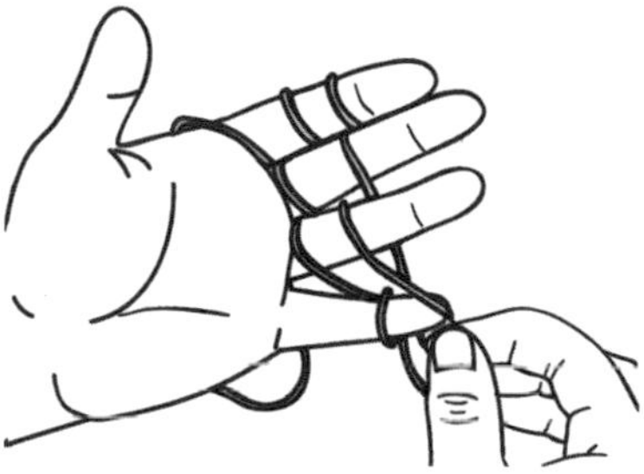

5. Empieza a tejer hasta que otra vez tengas dos hebras en cada dedo. A continuación, repite el paso 4. Sigue así hasta que consigas como resultado una banda del largo y ancho adecuado para, por ejemplo, una diadema.

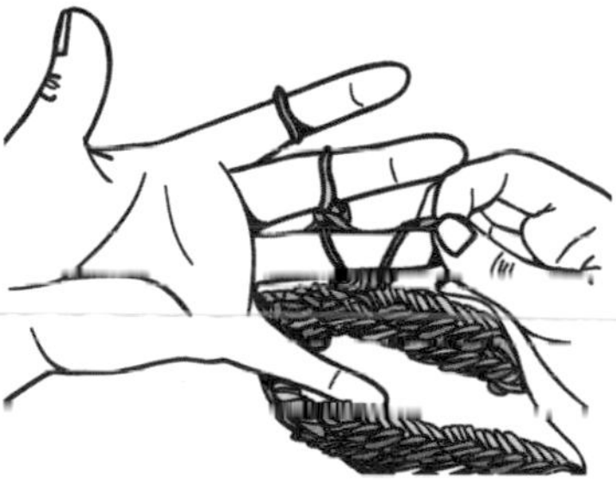

6. Asegúrate de que solo queda una hebra de lana en cada dedo. Retira entonces la lazada del meñique. Llévala sobre el dedo anular para que queden en él ahora dos hebras. De esas dos, levanta la de abajo, pásala por encima de la de arriba y retírala del dedo. Luego llévala sobre el dorso de la mano. A continuación, levanta la lazada que le queda al anular y pásala por el dedo corazón. Repite la operación hasta que solo te quede una hebra en el dedo índice. Corta la hebra, dejando 15 cm de cola. Introduce la cola por la lazada que te quedaba. Finalmente, retírala del dedo y tira fuerte para fijar el remate y que la labor no se deshaga.

Cómo ser la más rápida enviando mensajes de texto

El récord de velocidad en el envío de un mensaje de texto se está superando constantemente. En este momento, está en 160 caracteres cada 41,52 segundos. No parece que vaya a ser fácil batirlo, pero si quieres superarte, la mejor forma es utilizar abreviaturas.

Estas son las más útiles:

a+	además
aps	amigas para siempre
a1q	aunque
a2	adiós
bs	besos
cd	cuándo
db	debe
dnd	dónde
fds	fin de semana
h	hola
imxtant	importante
jjj	risas
k	que

ktal	¿Qué tal?
l100to	Lo siento
llam	llámame
mndm	mándame
mña	mañana
msj	mensaje
n	en
nse	no sé
pf	por favor
xq	porque
qdms	quedamos
salu2	saludos
st	esto
s3	estrés
talue	hasta luego
tb	también
t2	todos
t8d	te echo de menos
yks	yo qué sé
xra ti	para ti

Cómo convencer a tus padres para que te dejen tener una mascota

Antes de empezar tu campaña, asegúrate de que de verdad quieres una mascota y de que estás dispuesta a ser responsable y hacerte cargo de ella.

- ¿Qué animal podría estar más cómodo y contento en tu casa? Te morirás de ganas de tener un poni, pero si vives en una ciudad quizá no sea una buena idea.
- Cuanto más sepas sobre el animal elegido, más fácil te será convencer a tus padres.
- Antes de hablar con ellos, haz una lista de todas las pegas que te pueden poner. A ver si se te ocurre una contestación razonable para todas sus preocupaciones.
- Persevera en tu petición, pero no te impacientes ni te enfades. Los llantos y los nervios no harán más que convencerles de que no eres lo bastante madura como para cuidar de un animal.
- Considera la posibilidad de buscarte un trabajo después del colegio que tenga que ver con el cuidado de animales. Por ejemplo, pasear a un perro, ayudar a limpiar un establo o colaborar en un refugio. Así, tus padres se irán convenciendo de que eres una persona capaz de ocuparte de su mascota.
- Si alguna de tus amigas tiene el animal que quieres, invítala a tu casa para que hable con tus padres.
- Empieza por lo menos incómodo. Si tus padres siguen implacables en negarte el perrito que quieres, pregúntales si podrías tener un animal más pequeño, como un hámster o un pez. Si te ocupas bien durante todo el

tiempo del animalito, a lo mejor cambian de opinión y te acaban regalando el perro. Y, claro, siempre puedes descubrir que tu pez y tú estáis hechos el uno para el otro y que sois muy felices juntos.

Cómo ganar una apuesta

Apuesta con tus amigas a que no son capaces de doblar una hoja de papel por la mitad más de siete veces. Parece fácil, pero no lo es. Es más, por muy grande que sea el papel, doblarlo siete veces por la mitad es imposible.

Promete a tus amigas que les darás lo que te pidan si lo consiguen.

No te preocupes. No lo conseguirán.

Cómo encestar al estilo de un jugador profesional

En el instante en que te pasen el balón, gira el cuerpo y sitúate directamente debajo de la canasta. Comprueba que tus pies, manos y codos apunten al poste de la canasta. Y asegúrate de que dejas una separación entre los pies como la que hay entre hombro y hombro: podrás mantenerte en perfecto equilibrio.

1. Respira hondo y, sin perder el equilibrio, céntrate únicamente en la canasta. No permitas que los defensas te desconcentren.
2. Tantea el balón con las yemas de los dedos de la mano derecha (de la izquierda si eres zurda). Coloca la otra mano en el balón para mantenerlo firme.
3. Estira los brazos por encima de la cabeza y apunta con el balón a la canasta.
4. Cuando te sientas preparada para encestar (y no dejes que te presione nadie), flexiona las piernas, con la espalda recta y la mirada fija en la canasta.
5. Lleva las manos, ligeramente, hacia atrás, sobre la cabeza. Al saltar, dirige los brazos hacia delante y hacia arriba. Al estirarlos del todo, lanza el balón hacia la canasta... ¡huy, casi!

6. Para aumentar las posibilidades de encestar, al soltarlo hazlo girar mediante un movimiento rápido de tus muñecas. De este modo, aunque el balón tropiece con la red, lo más probable es que caiga dentro.

Cómo interpretar el lenguaje corporal

Habrá veces en que alguien te diga una cosa pero, al mismo tiempo, su cuerpo te «sugiera» algo completamente distinto. La lista que sigue te dará algunas pistas para interpretar lo que podría estar sintiendo esa persona:

Se muerde las uñas.	**INSEGURIDAD, ANSIEDAD**
Está repanchingada y con los brazos caídos.	**RELAX**
Aprieta la mandíbula y tensa los músculos.	**FURIA**
Tiene los brazos cruzados.	**ESTÁ A LA DEFENSIVA**
Tiene las manos enlazadas por detrás de la cabeza.	**CONFIANZA**
Se toca o se frota la nariz.	**RECHAZO, MENTIRA**
Mira al suelo con la cabeza ladeada.	**INCREDULIDAD**
Tamborilea con los dedos.	**IMPACIENCIA**
Se pasa la mano por el pelo.	**INSEGURIDAD**
Inclina la cabeza.	**INTERÉS**
Se acaricia la barbilla.	**ESTÁ TOMANDO UNA DECISIÓN**
Se tira de una oreja.	**INDECISIÓN**
Se pellizca el tabique de la nariz con los ojos cerrados.	**APRENSIÓN**

Cómo hacer un cristal

MODO DE HACERLO:

1. Disuelve sal de mesa en agua caliente. Sabrás cuándo la disolución está saturada porque la sal dejará de disolverse y aparecerán granos de sal en el fondo del recipiente.

2. Vierte la disolución en un tarro limpio. Llénalo en sus tres cuartas partes. El resto, déjalo a mano para cuando lo necesites.
3. Necesitarás un lápiz, un hilo y una piedrecita bien limpia. Ata con el hilo la piedra al lápiz, como en el dibujo. Suspende la piedra en la disolución colocando el lápiz sobre el tarro.

4. Déjalo en un sitio templado, como el alféizar de una ventana al sol. El agua se irá evaporando. Ve a comprobarlo cada pocos días y rellena el tarro con lo que quede de la mezcla salina para que la piedra permanezca siempre sumergida.

5. Según se vaya evaporando el agua, empezarán a formarse cristalitos en la superficie de la piedra. Unas semanas después, tendrás un maravilloso cristal.
6. Si lo quieres de color, echa en la solución unas cuantas gotas de colorante alimentario.

Cómo hacer tu propio pan

El proceso es muy laborioso, pues habrás de amasar durante un buen rato, pero te sabrá mucho más rico que el que compras en la panadería, porque lo habrás hecho tú, y huele muy bien mientras se cuece en el horno. Además, fortalecerás los músculos de los brazos.

MODO DE HACERLO:

1. Echa 225 gramos de harina normal en un recipiente y añade una cucharilla de sal y otra de azúcar.
2. A continuación, una cuchara sopera de margarina, ayudándote con los dedos.
3. Añade un sobrecito de levadura seca y mezcla bien la masa, de nuevo con los dedos.
4. Vierte encima 150 mililitros de agua templada. Asegúrate de que el agua no llega a estar caliente, o el pan no se levantará.
5. Remueve la mezcla con una cuchara de madera hasta que empiece a espesarse. Cuando esté tan dura que

no puedas usar la cuchara, lávate bien las manos y úsalas para amasar la mezcla hasta que casi se salga por los bordes del recipiente.

6. Ahora, viene lo más laborioso. Espolvorea harina sobre una superficie lisa y pon la masa encima. Tienes que amasarla hasta que quede suave y se estire (sin romperse). Usa la palma de la mano para apartar de ti la masa. Luego, vuelve a hacer una bola con ella, con los nudillos, dale la vuelta y repite la operación. Sigue haciendo esto durante unos cinco minutos.
7. Pinta ligeramente la superficie de la masa con aceite vegetal. Envuélvela en una servilleta y deja el paquete en un sitio cálido, por ejemplo, en un armario de orear la ropa. El calor activará la levadura, que, a su vez, hará que la masa se levante y se hinche.
8. Cuando sea el doble de grande de lo que era en un principio, dale golpes con los puños para sacarle el aire. Después, moldéala, dándole la forma que quieras que tenga tu pan.
9. Ya tienes la masa lista para meterla en el horno. Antes, enciende el horno a 230 °C.
10. Cuando alcance la temperatura adecuada, quítale la servilleta y coloca la masa en una bandeja de horno engrasada. Déjala ahí unos 25 minutos. Tu pan estará hecho cuando haya adquirido un color dorado tirando a marrón y suene a hueco si le das un golpecito en la base.
11. Ponlo sobre una rejilla para que se enfríe y no se combe. Cómetelo en cuanto esté lo bastante fresco y probarás un pan de horno que podía haber sido hecho en el paraíso.

Cómo llegar a ser primera bailarina

Llegar a ser primera bailarina requiere mucho trabajo, mucha dedicación y tomar clases con regularidad. ¡Ánimo, tú puedes!

Que el peso de tu cuerpo recaiga por igual en las dos piernas, asegúrate de que mantienes la espalda recta y mira siempre hacia el frente.

PRIMERA POSICIÓN. Junta los talones y separa las puntas hasta formar con los pies una línea recta. Asegúrate de que rotas también las piernas desde las caderas, no solo los pies. Extiende los brazos, flexionando un poco los codos, a la altura de la cintura, como si abrazaras un balón.

SEGUNDA POSICIÓN. Coloca los pies como en la primera posición pero separa los talones, dejando una distancia entre ellos de unos 30 cm. Abre los brazos, con las palmas de las manos hacia abajo.

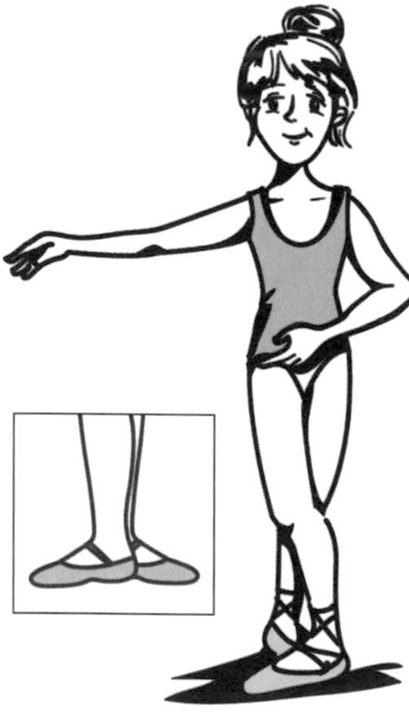

TERCERA POSICIÓN. Con los pies apuntando a los lados como en las dos posiciones anteriores, cruza uno de los pies hasta dejarlo a la altura de la mitad del otro, de tal modo que el talón quede al mismo nivel del arco del pie de detrás. Un brazo debe estar como en la primera posición (delante de ti) y el otro como estaba en la segunda posición (es decir, extendido hacia un lado).

CUARTA POSICIÓN. Con los pies todavía mirando a los lados, adelanta uno de ellos de modo que el talón de un pie se encuentre a la misma altura que la punta del otro, y viceversa. Debe quedar un espacio entre los dos equivalente al largo de un pie. Un brazo debe quedar como en la segunda posición y el otro formará una curva por encima de tu cabeza.

QUINTA POSICIÓN. Esta es la más difícil de todas. Coloca un pie delante del otro, como en la cuarta posición, pero esta vez juntos. Alza los dos brazos, ligeramente curvados.

Cómo hacer un cuenco de cartón piedra

MODO DE HACERLO:

1. Para preparar la pasta, vierte media taza de harina corriente en un cazo que contenga dos tazas de agua fría. Coloca el cazo en el fogón y añade dos tazas de agua hirviendo. Remueve la mezcla hasta que empiece a hervir. Aparta el cazo del calor, échale tres cucharadas de azúcar, remueve y espera a que se enfríe.
2. Cubre la mesa en la que vas a trabajar con papel de periódico, porque el proceso de fabricación es muy sucio.
3. Para hacer un cuenco, el mejor molde que puedes utilizar es un globo. Así que infla uno y anúdalo muy bien para que no pierda aire.
4. Corta tiras estrechas de papel de periódico de unos 20 cm de largo y mójalas en la pasta. Pasa los dedos por cada tira para eliminar el exceso de pasta y luego pégalas al globo. Repite esa operación hasta que la mitad inferior del globo esté cubierta (deja sin cubrir la parte superior).
5. Deja que las tiras se sequen y luego añade otra capa igual encima. Sigue añadiendo al globo sucesivas capas de tiras empastadas, dejando previamente que cada una de ellas se haya secado.
6. Cuando el papel de periódico esté completamente seco, puedes desinflar el globo y tirar de él hasta retirarlo y quedarte solo con el cartón piedra, ya endurecido y en forma de cuenco.
7. Con unas tijeras, recorta el borde del cuenco para que quede liso. Luego decóralo con pintura y con brillantina.

Cómo cuidar de tus polluelos

Busca una jaula lo bastante grande para los polluelos. Cada uno de ellos necesitará, por lo menos, un espacio de 40 cm^2. Cubre el suelo de la jaula con una capa de dos centímetros y medio de serrín.

- Los pollitos necesitan calor. Para proporcionárselo te hará falta una bombilla especial de 250 W. Con eso bastará para 50 polluelos. La bombilla debe estar a unos 45 cm de altura desde el suelo de la jaula.
- El calor no debe llegar más que a la mitad de la jaula, para que los pollitos puedan ocupar la otra mitad si tienen demasiado calor. Protégelos contra las corrientes de aire cubriendo el exterior de la jaula con cartones.
- Muéstrales dónde pueden encontrar la comida echando un poco de alpiste debajo del comedero.
- Comprueba con cierta frecuencia que el bebedero tiene agua suficiente. Cuando lo hayas llenado, coge a cada uno de los polluelos y, con cuidado, acércales el pico al agua para que sepan dónde han de beber.

Cómo adivinar el carácter de una persona por su letra

Si analizas la escritura de alguien puedes descubrir algunas de sus cualidades psicológicas. Pide a tus amigas una muestra de su letra y analiza sus particularidades ayudándote de los ejemplos siguientes:

Letra muy cuidada

Que sea muy cuidada indica que la persona es de fiar, extravertida y comunicativa. Una escritura desmañada sugiere que es reservada.

Letra Grandísima

Letra pequeña

La letra grande muestra que se trata de alguien a quien le gusta llamar la atención. La letra pequeña indica que la persona es tímida y meticulosa.

Inclinada a la izquierda

Inclinada a la derecha

Si se inclina hacia la izquierda, es reservada y no expresa sus sentimientos con facilidad. Si se inclina hacia la derecha, es abierta y sincera.

L e t r a s   m u y   s e p a r a d a s

Fluidas y juntas

Que haya más espacio entre las letras de lo normal, sugiere que la persona es creativa. Que estén unidas, que es cauta.

Letra angulosa

Letra redonda

La escritura angulosa revela a una persona perspicaz y astuta.

La letra redonda es propia de personas reflexivas, que se toman su tiempo para pensar antes de tomar alguna decisión, y que a menudo consiguen que las cosas les salgan bien.